KU-106-937

FASZINIERENDE MOBILES

Originalausgabe unter dem Titel
Making Mobiles erschienen bei:
© Pavilion Books Company Ltd 2020,
43 Great Ormond Street London WC1N 3HZ

Text und Projekte: © Karolina Merska 2020

Für die deutsche Ausgabe:
Produktmanagement: Christine Schnappinger
Verantwortlich: Helgrid van Impelen
Übersetzung, Satz und Lektorat: VerlagsServic
Dietmar Schmitz GmbH
Umschlaggestaltung: Bartos Kersten
Printmediendesign
Herstellung: Kathleen Baumann
Printed in Turkey by Imak Ofset

★★★★★

Sind Sie mit diesem Titel zufrieden? Dann würden wir uns über Ihre Weiterempfehlung freuen. Erzählen Sie es im Freundeskreis, berichten Sie Ihrem Buchhändler oder bewerten Sie bei Onlinekauf. Und wenn Sie Kritik, Korrekturen oder Aktualisierungen haben, freuen wir uns über Ihre Nachricht an Christian Verlag, Postfach 40 02 09, D-80702 München oder per E-Mail an lektorat@verlagshaus.de.

Unser komplettes Programm finden Sie unter

www.christophorus-verlag.de

Die Deutsche Nationalbibliothek verzeichnet diese Publikation in der Deutschen Nationalbibliografie; detaillierte bibliografische Daten sind im Internet über http://dnb.d-nb.de abrufbar.

ISBN 978-3-8388-3831-1

Besuchen Sie uns im Internet:

www.christophorus-verlag.de

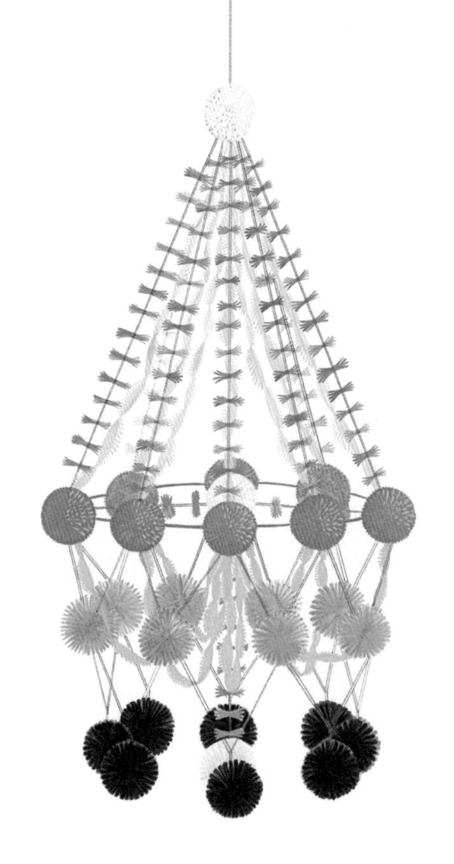

Karolina Merska

FASZINIERENDE MOBILES

Wunderschöne **Pajaki** aus Naturmaterialien

INHALT

MEIN WEG ZU DEN MOBILES

Die symbolträchtigen polnischen Mobiles haben eine lange Geschichte und sind bezaubernde volkstümliche Dekostücke, die traditionell aus Stroh, Papier, Wolle, Federn und getrockneten Erbsen hergestellt werden. Variationen finden sich in ganz Osteuropa und auch in Skandinavien, aber kaum welche sind so bunt und farbenfroh wie die polnischen Mobiles.

Im Polnischen werden diese Mobiles *Pająk* genannt, bzw. *Pająki* im Plural. Diese zarten und leichten »Kronleuchter« baumelten bei uns im Winter oft von der Decke und drehten sich sanft, wenn ein leichter Luftzug durch den Raum zog. Leider ist es schwierig, ihren Ursprung und ihre vollständige Geschichte aufzudecken, da heute nur noch wenige frühe Designs erhalten sind. Ihre Seltenheit treibt meine Leidenschaft an, die *Pająki*-Tradition am Leben zu erhalten.

Meine eigene Geschichte mit Mobiles begann im Freilichtmuseum im polnischen Lublin, wo ich zum ersten Mal *Pająki* in einem der traditionellen Dorfhäuser hängen sah. Jahre später, während meines Studiums der Kunst-

geschichte an der Jagiellonen-Universität in Krakau, entwickelte ich ein Interesse an Ethnografie und traditioneller polnischer Volkskunst, was zu einer echten Leidenschaft wurde – später nannte ich sogar mein Kunst- und Einrichtungsgeschäft in London »Folka« – ein Schachtelwort aus »Polka« (Polin) und »Folk«.

Ich musste immer wieder an die *Pająki* denken, die mit ihrer perfekten Mischung aus kräftigen Farben Aufmerksamkeit einforderten, gleichzeitig aber so zerbrechlich wirkten – sie gingen mir einfach nicht aus dem Kopf. Aber erst im Sommer 2015 in London (wohin ich 2007 gezogen war) fertigte ich schließlichen meinen ersten *Pająk* an. Ehrlich gesagt nicht unbedingt meinen besten, aber Übung macht den Meister.

Anfangs habe ich mit einer Strohstruktur experimentiert. Als ich fertig war, sah es zunächst toll aus, aber sobald ich das Mobile anhob, um es aufzuhängen, klappten alle Elemente nach innen, sodass ich wieder von vorne beginnen musste. Da wurde mir klar, wie wichtig es ist, mit einer soliden Grundstruktur zu arbeiten.

Seitdem habe ich meine Fähigkeiten verbessert und begonnen, selbst Kurse für die Herstellung von *Pająki* zu geben.

Ich liebe es, traditionelle Techniken und Materialien aufzugreifen und mit neuen zu experimentieren, um meinen Mobiles einen modernen Look zu verleihen. Ich verwende nicht nur Roggenstroh, das ich jeden Sommer in Polen selbst ernte (ich achte darauf, dass ich es gut verpackt aufbewahre – Mäuse lieben die zarten Halme!), sondern auch Messing-Röhrchen, um schicke Raumskulpturen zu kreieren. Ich möchte nicht ständig nur alte Designs kopieren – moderne Interpretationen der Volkskunst können immer wieder spannende Stücke hervorbringen!

Heutzutage ist die *Pająki*-Herstellung in Polen eine aussterbende Kunst, die hauptsächlich von älteren Frauen ausgeübt wird, die sie von ihren Müttern und Großmüttern erlernt haben. Man kann ihre Arbeiten vor allem in Völkerkundemuseen oder bei Volkskunstfestivals sehen. In Polen kennen die jungen Leute die Geschichte dieser Tradition nicht wirklich oder finden sie sogar fade und altmodisch. Schmuckstücke wie diese sollten nicht in einem Museum verstauben, also wollte ich das alte Handwerk wiederbeleben und zeigen, dass man *Pająki* auch in einem modernen Zuhause einsetzen kann.

Ich liebe es, Menschen etwas über *Pająki* beizubringen und Workshops zu geben. Es ist sehr befriedigend, so viele interessierte neue Gesichter in meinen Kursen zu sehen. Für mich gibt es nichts Schöneres als einen lustigen Nachmittag, an dem man bei Kaffee und guten Gesprächen Pompons aus Seidenpapier bastelt. Aber es ist nicht nur eine vergnügliche Gruppenaktivität – es bereitet mir auch große Freude zu sehen, dass die *Pająki*-Tradition wiederbelebt wird – das hat etwas Magisches.

Ein wichtiger Teil meiner Arbeit besteht darin, nach Polen zu reisen, um Künstler*innen zu treffen, die noch *Pająki* herstellen. Die Begegnungen mit ihnen sind immer sehr inspirierend, und ich lerne durch ihre Erinnerungen viel über die Geschichte. Es ist wichtig zu wissen, dass die Herstellung dieser Mobiles über Generationen hinweg weitergegeben wurde. Früher haben viele Familien gemeinsam *Pająki* angefertigt, aber leider ist dem heute nicht mehr so.

Ich freue mich sehr, dass ich durch dieses Buch mein Know-how mit Interessierten teilen kann, und stelle verschiedene Arten von *Pająki* vor – sowohl traditionelle als auch moderne – um ihren Formen- und Farbenreichtum aufzuzeigen.

Ich empfehle, die Anleitungen für jedes Projekt, das einem gefällt, gründlich durchzulesen und die Herstellung der einzelnen Teile zu üben. Die Anfertigung eines Mobiles nimmt Zeit in Anspruch, daher ist es gut, alles bereitzuhaben, bevor man mit dem Bau der Struktur beginnt.

Es ist mir ein großes Anliegen, drei famose Papierkünstler*innen und ihre Geschichten vorzustellen: Helena (Seite 82), Zofia (Seite 100) und Józef (Seite 166). Sie und ihre wunderschönen Designs verdienen einen Platz in diesem Buch, denn ich verdanke ihnen so viel – für ihre Anleitungen und für ihren Rat.

POLNISCHE PAJĄKI

Vor langer Zeit war der *Pająk* ein gängiges Element in den traditionellen Holzhäusern in Polen. Als atemberaubender Blickfang baumelte das Mobile an einem Balken in der Mitte des Wohnraums und drehte sich anmutig, um die anderen farbenfrohen volkstümlichen Ornamente im Haus zu ergänzen: Scherenschnitte, auch *Wycinanki* genannt, mit Papierblumen geschmückte Gemälde und bezaubernde, handgemalte Wandbehänge. Der *Pająk* war nicht nur ein dekorativer Gegenstand, er hatte auch symbolische Bedeutung.

Die aus Roggenstroh und Papier gefertigten Gebilde wurden Anfang des 19. Jahrhunderts vor allem von Frauen hergestellt, um das Haus zu verschönern, und sie ließen sich mit ein wenig Fleiß relativ preiswert realisieren.

Das polnische Wort *Pająk* bedeutet wörtlich übersetzt »Spinne«. Allerdings ist die Etymologie des Namens des Mobiles nicht geklärt. Alte Legenden besagen, dass das Auffinden einer Spinne im Haus Glück bringt – und noch heute gilt es als Unglück bringend, eine Spinne zu töten.

Im Rahmen meiner Nachforschungen zur Geschichte der *Pająki* hatte ich Professor Marian Pokropek getroffen, der mich darauf aufmerksam machte, dass »*Pająk*« auch eine alte Bezeichnung für die dekorativen Kronleuchter ist, die in Kirchen und Palästen hängen (laut einer Ausgabe der *Encyklopedia staropolska* von Zygmunt Gloger aus dem Jahr 1901). Ich selbst bevorzuge die »Spinnentheorie« – sie ist anschaulicher und hilft, die symmetrische, netzartige Form der Mobiles zu erklären.

Stroh an Weihnachten

Stroh bildet das Grundgerüst eines *Pająk*, und Roggenstroh ist wegen seiner Länge und Stärke am besten geeignet. Und nicht nur das: Roggenstroh war einst ein wichtiger Bestandteil des Landlebens und wurde bei jeder Ernte traditionell mit der Sense geschnitten. Für die Landbevölkerung war Stroh kostbar – so sehr, dass man ihm magische Kräfte zusprach. Kein Wunder, denn die Bauern waren abhängig von den Feldern und Ernten, die sie mit Nahrung und Streu für ihr Vieh versorgten. Sie fertigten wunderschöne Strohkränze und größere dekorative Gebilde an, um die Ernte zu feiern und für den Ertrag zu danken.

Nach Einbringen der Ernte wurden die letzten Strohhalme ordentlich zusammengebunden, und die Garbe (*Dziad* genannt) wurde bis Dezember aufbewahrt. Zusätzliches Stroh lagerte man ein, um es später für die Herstellung von *Pająki* und anderen Dekorationen zu verwenden – für Weihnachten wurden immer Mobiles hergestellt.

Während der Weihnachtszeit wurde Stroh auch auf die Böden und unter den Tisch gestreut, um das Haus vor bösen Geistern und Dämonen zu schützen. Im Wesentlichen glaubte man, dass ein über dem Tisch hängender Stroh-*Pająk* eine gute Ernte, Wohlstand und Glück im kommenden Jahr bringen würde.

Nach Weihnachten wurden dann neue *Pająki* für das Osterfest angefertigt. Der Weihnachts-*Pająk* wurde als Symbol für einen neuen Jahresabschnitt und für das Ende des Winters verbrannt. Oft wurden die Oster-*Pająki* anstelle von Blumen oder Pompons mit *Pisanki* (verzierten Ostereiern) geschmückt. *Pająki* wurden auch für andere Festlichkeiten wie Hochzeiten oder Taufen hergestellt.

Formen & Strukturen

Die Formen und Strukturen der *Pająki* wurden weitgehend von den damals verfügbaren Materialien bestimmt. Die frühesten bekannten Designs (*Sowa*, also »Eule« genannt) waren kugelförmig. Lange Stücke Roggenstroh wurden mit handgefertigten Papierkreisen oder -sternen geschmückt und in eine Kartoffel, eine Rote Bete oder ein rundes Stück Wachs oder Teig gesteckt – Materialien, die man im Haushalt finden konnte.

Mit der Zeit wurde die Struktur des *Pająk* immer dekorativer. Inspiriert von den großen Metalllüstern in den Kirchen, entwickelten die Frauen neue Ideen, wie man größere Gebilde herstellen konnte. Auf die Arme der Mobiles wurden kurze Stücke Stroh, Tannenzapfenschuppen, Hülsenfrüchte, und in Masowien (Ost-Zentralpolen) sogar verschiedene Federn aufgefädelt und dann an einer runden Hauptstruktur aus gebogenen Weidenruten oder Draht befestigt. In Podlasie (Nordostpolen) wurden interessante *Pająki* aus weißen Stoffstreifen hergestellt.

Eine weitere beliebte Form des *Pająk* ist die geometrische Form, die aus einer großen zentralen Pyramide besteht, die traditionell mit fünf kleineren Pyramiden verziert wird. Geometrische Gebilde aus oder mit Stroh sind auch in anderen Ländern bekannt: Estland, Weißrussland, Litauen (*Sodas*), Ukraine (*Savuk*) und Finnland (*Himmeli*). Nur in Polen wurden die Strukturen allerdings mit Papierblumen verziert. Wer Lust hat, selbst ein geometrisches Meisterwerk anzufertigen, kann sich die Projekte auf den Seiten 84 und 182 ansehen.

Um die Wende zum 20. Jahrhundert wurden neue Materialien wie farbige Papiere und Bänder verfügbar, und so gestalteten sich die *Pająki*-Designs immer bunter und aufwendiger, mit verschiedenen Arten von Papier-Pompons und -Blumen. Ich weiß, dass ich jedes Mal, wenn ich in ein Bastelgeschäft gehe, gar nicht anders kann, als all die schönen Papiere zu kaufen, die ich finde!

Die Stadt Łowicz (in Zentralpolen) ist berühmt für ihre reiche Folklore, für einzigartige Scherenschnitte und handgewebte, bestickte Trachten. Elemente dieser Traditionen sind in die *Pająki*-Designs eingeflossen: Statt einer runden Struktur haben manche eine polygonale, handgewebte Wollplattform mit den berühmten hellen und bunten

Łowicz-Streifen. Auf Seite 108 zeige ich, wie man einen traditionellen *Łowicz-Pająk* herstellt.

Einzigartige Designs wurden auch in Kurpie (Nordostpolen) hergestellt. Diese Region besitzt ihr eigenes traditionelles Volkserbe und ihren eigenen Dialekt. Daher heißt der *Pająk* hier *Kierec* und wird aus auf Schnüre aufgefädelten Erbsen oder Bohnen hergestellt, an runden Drahtkonstruktionen befestigt und mit schönen Papierblumen verziert. Wer getrocknete Hülsenfrüchte im Haus hat, kann aus ihnen nach der Anleitung auf Seite 102 selbst Erbsen- oder Bohnen-Girlanden herstellen. Das Wort *Pająk* bedeutet in Kurpie eher eine Struktur, die traditionellerweise an der Decke befestigt wurde – lange Bänder aus gedrehtem Papier wurden in der Mitte des Raumes an der Decke zusammengefasst, zeltähnlich nach außen gezogen und an den Wänden fixiert.

In Zalipie (Südostpolen), das wegen seiner traditionellen, mit bunten Blumenmotiven verzierten Häuser als »bemaltes Dorf« bekannt ist, wurden *Pająki* mit einer Vielzahl bunter Blüten geschmückt.

EINEN PAJĄK HERSTELLEN

Die meisten traditionellen *Pająki* wurden aus Roggenstroh und Papier gefertigt. In diesem Buch zeige ich verschiedene Formen und Möglichkeiten auf, um einen *Pająk* zu gestalten. Sobald man weiß, wie die Struktur aufgebaut wird, kann man mit anderen Materialien experimentieren, um seine eigenen einzigartigen Designs zu kreieren. Ich sollte erwähnen, dass man sich für die Herstellung der Mobiles Zeit nehmen sollte. Für ein einfaches Modell wie den *Kalinka-Pająk* (Seite 68) benötige ich etwa einen halben Tag, während ein größeres Projekt wie der *Meister-Pająk* (Seite 120) mehr als eine Woche in Anspruch nehmen kann.

Ich wünsche viel Erfolg und Geduld bei den Mobile-Abenteuern!

1
2
3
4
5
6
7
8
9
10
11
12
13
14
15
16
17
18
19
Glue Stick

WERKZEUGE & MATERIALIEN

Dies sind die Utensilien, die ich zur Herstellung meiner *Pająki* verwendet habe. Einige Dinge sind unverzichtbar (Seiten 22–25), andere finde ich äußerst praktisch, also gerne ausprobieren.

1 Seidenpapier (Seite 23)
2 Tonpapier (Seite 23)
3 Krepp-Papier (Seite23)
4 Kleber
5 Metallreif (Seite 25)
6 Zirkel
7 Bleistift
8 getrocknete Weiße Erbsen (Seite 22)
9 Alufolie
10 Baumwollgarn (Seite 25)
11 Lineal
12 Schere
13 Spitzer
14 6-cm-Nähnadel
15 Stecknadeln
16 Roggenstroh (Seite 22)
17 U-Form-Schere
18 Löffel
19 Kreisstanzer

Ebenfalls nützlich für einige Projekte: Rohrschneider, Band, Zickzackborten, Wollgarn, Holzstäbe, Blumendraht, Jute-Makramee-Garn, Papp-Trinkhalme, getrocknete Pasta, Textilkleber, 5-mm-Messing-Röhrchen, Filzperlen, Glasperlen, Metalldraht, Gartenschere/Kneifzange.

Stroh

Dies ist das wichtigste Material in einem *Pająk*. Ich verwende Roggenstroh, die stärkste und längste Sorte. Er sollte idealerweise während der Erntezeit sorgfältig mit einer Sense geschnitten werden. Aber natürlich hat nicht jeder Zugang zu einem Roggenfeld und einer Sense, also kann man stattdessen auch Papierstroh oder Papp-Trinkhalme verwenden, wie ich es auf Seite 144 getan habe.

Bevor man Roggenhalme für einen *Pająk* verwendet, muss man sie vorbereiten. Die Ähren müssen abgeschnitten und die Halme Stück für Stück gesäubert werden, indem man die dünnen äußeren Schichten entfernt. Dann werden die Halme in kürzere Einheiten geschnitten, da sie sich so besser lagern lassen. Später können sie dann auf die gewünschte Länge zugeschnitten werden.

Verwenden sollte man nur feste Stroh-Zuschnitte, da zu weiche leicht brechen.

Tipp: Sollte einmal ein Stroh-Zuschnitt in einem *Pająk* brechen – keine Sorge. Man kann ein kleines Stück durchsichtiges Klebeband abschneiden und das gebrochene Stück damit umwickeln.

Weiße Erbsen

Ich habe sie für Zofias *Kierec* auf Seite 102 verwendet. Wichtig ist, dass man getrocknete Weiße Erbsen inklusive Schale wählt. Man bekommt sie in einigen Supermärkten, Reformhäusern oder online.

Die Erbsen müssen über Nacht einweichen, damit man sie mit der Nadel durchbohren kann. Hierfür eine kleine Schüssel halb mit getrockneten Erbsen befüllen, diese dann mit Wasser bedeckt über Nacht quellen lassen. Nun kann man damit beginnen, sie für den *Pająk* auf Schnüre aufzufädeln. Man kann auch getrocknete Bohnen (Weiße oder Braune) verwenden.

Papier

Neben Roggenstroh ist Papier ein weiteres, sehr wichtiges Material für die Herstellung von *Pająki*. Man kann nie zu viel davon haben! Ich liebe es, neue Farben auszusuchen und zu sammeln, deshalb halte ich in jedem Schreibwaren- oder Bastelgeschäft, an dem ich vorbeikomme, nach Papieren Ausschau.

Für die Herstellung von *Pająki* benötigt man mindestens drei verschiedene Papiersorten:

Seidenpapier
Das ist das dünne, glatte Papier, das für die Pompons verwendet wird (Seite 34). Es ist sehr zart und reißt leicht. Es gibt Seidenpapiere in verschiedenen Qualitäten und Formaten. Beim Zuschneiden von Seidenpapier empfehle ich, es vorher zu falten, damit man mehrere Lagen auf einmal schneiden kann. Das funktioniert besonders gut bei den Pompons - wenn ich zum Beispiel fünf große Bogen habe, falte ich jeden von ihnen 2-mal und lege sie übereinander, sodass ich 20 Lagen auf einmal schneiden kann.

Krepp-Papier
Krepp-Papier ist gewellt und um einiges dicker als Seidenpapier. Es ist stabil und dehnbar, und eignet sich daher perfekt für die Herstellung voluminöser Blumen (Seiten 54–59) oder zum Umwickeln des Reifs für einen *Pająk* (Seiten 28–29). Es wird normalerweise in langen Rollen geliefert. Man kann die genaue Länge zuschneiden, die man braucht, indem man ein Stück von der Rolle abschneidet, oder, wenn das zu schwierig ist, kann man das Papier entrollen und dann ein Stück in der gewünschten Größe abschneiden.

Tonpapier
Dieses wird für die Herstellung von Kreisen verwendet (Seite 33). Man benötigt ein stabiles Material, am besten 270 g/m², aber man kann auch 175 g/m² verwenden. Es gibt Tonpapier in vielen verschiedenen Formaten, von DIN-A5-Blättern bis hin zu DIN-A1. Ich kaufe normalerweise größere Bogen auf Vorrat, die ich für verschiedene Designs verwende.

Scheren

Eine gute Schere ist unabdingbar, aber ich habe dabei keinen bestimmten Lieblingstyp. Ich verwende eine alte, gut geschärfte Schere. Es ist wichtig, eine scharfe Schere für Papier zu haben, mit einem bequemen Griff. Wenn man an einem größeren *Pająk* arbeitet, muss man manchmal viele Lagen für die Pompons zuschneiden, und die Hand kann ziemlich müde werden! Ich empfehle, in ein Schreibwarengeschäft zu gehen, verschiedene Scheren auszuprobieren und die bequemste zu wählen, die man finden kann.

Manchmal verwende ich auch eine Fadenschere, vor allem beim Anbringen der *Pająki*-Arme oder der Pompons.

Garne

Hier sollte man ein weiches Baumwollgarn in einer natürlichen Farbe verwenden – keinen zu dünnen, synthetischen Faden, da dieser die Stroh-Zuschnitte zerschneiden kann. Ich neige dazu, die Länge nach Augenmaß zu messen. Im Zweifelsfall ist es immer besser, ein zu langes Stück abzuschneiden als ein zu kurzes.

Metallreifen

Sie sind in Bastelbedarfsläden oder online erhältlich und werden in verschiedenen Größen angeboten. Wer einen sehr großen *Pająk* anfertigen möchte, muss einen Metallarbeiter beauftragen, der den Reif nach Wunsch anfertigt. Traditionell wurden die Reifen für *Pająki* aus Draht oder Weidenruten hergestellt.

Papierstanzer

Es gibt ihn in so vielen Formen – Quadrat, Kreis, Stern, Blume, Schmetterling –, dass es dem persönlichen Geschmack überlassen bleibt, welche Form man für die Verzierung eines *Pająki* nutzt (Seite 33). Ich mag die traditionelle Kreisform und verwende meistens einen 3–4 cm großen Kreis. Stanzer mit größerem Durchmesser sind perfekt für größere *Pająki*. Man kann auch zwei oder mehr Größen innerhalb eines Designs kombinieren – das verleiht dem *Pająk* eine schöne zusätzliche Lebendigkeit. Man sollte die Kreise möglichst dicht nebeneinander ausstanzen, damit man kein Papier verschwendet.

GRUNDSTRUKTUR

Es ist wichtig, den Grundaufbau eines *Pająk* zu verstehen. Das Mobile besteht immer aus den gleichen Grundelementen, was es zu berücksichtigen gilt, wenn man eigene Designs entwirft. Bevor ich einen *Pająk* baue, beginne ich immer mit einer Skizze wie dieser. Sie hilft mir, die Idee zu visualisieren und zu verfeinern.

Bei der Planung eines *Pająk* ist es am wichtigsten, den »Kern« zu entwerfen – die Mittelbasis oder Plattform. Dies kann ein Metallreif sein, der mit Papier oder Bändern umwickelt ist, oder ein Mehrfach-Kreuz aus Holzstäben, zwischen die Wollfäden gewebt werden. Dann unterteile ich den *Pająk* in eine obere und eine untere Struktur, wobei ich immer mit der oberen beginne.

Obere Struktur

Mittelbasis

Untere Struktur

Obere Struktur

Diese besteht aus mindestens 4 äußeren Armen, die notwendig sind, damit der *Pająk* gut ausbalanciert ist. Je nachdem, wie dekorativ man ein Mobile gestalten möchte, können zusätzliche innere Arme und ein mittlerer Arm (der durch den ganzen *Pająk* geht) hinzugefügt werden.

Tipp: Wenn ich die oberen Arme des *Pająk* an der Mittelbasis befestigt habe, hänge ich ihn normalerweise auf, weil es dann einfacher ist, an der unteren Struktur zu arbeiten.

Untere Struktur

Diese besteht aus verschiedenen Arten von hängenden Armen, meist längere Fäden mit Pompons oder kürzere baumelnde Arme zwischen ihnen.
Wenn die Struktur des *Pająk* fertig ist, muss man ihn nur noch mit Pompons oder Papierblumen verzieren, indem man sie an der mittleren Plattform befestigt.

Farben

In dieser Phase plane ich auch das Farbschema für mein Mobile. Ich tendiere dazu, weniger Farben zu verwenden als die traditionellen *Pająk*-Designs, die oft sehr bunt sind. Ich verwende gerne hellere Farben für den oberen Bereich und dunklere für den unteren, weil ich finde, dass dies dem Mobile eine schöne Erdung verleiht. Es liegt jedoch an einem selbst, wie viele Farbtöne man verwendet, notfalls kann man später immer noch welche hinzufügen, indem man bunte Bänder, Pompons oder Blumen anbringt.

Dieses Buch beginnt mit einer Grundstruktur (Seite 68) und geht dann zu anspruchsvolleren Projekten über, die eine größere Mittelbasis und mehr Details verwenden.

BASIS-REIF

Der Reif ist ein sehr wichtiger Teil eines *Pająk*, da er die gesamte Struktur zusammenhält. Ich umwickle ihn normalerweise mit Krepp-Papier, da dies die Metalloberfläche gut abdeckt.

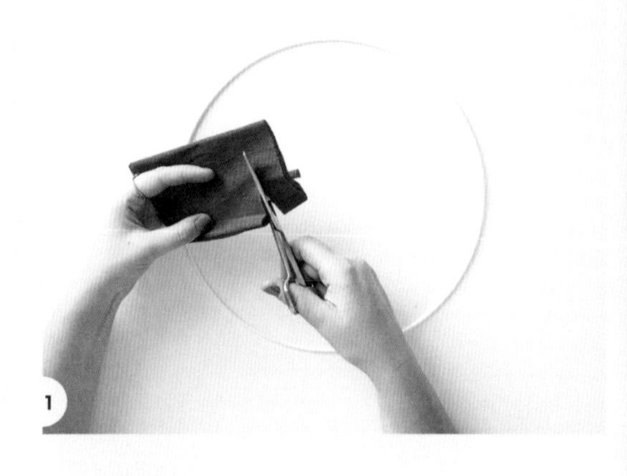

Das wird benötigt

Krepp-Papier
Schere
Metallreif
Kleber

1 Vom Krepp-Papier 1 langen Streifen (2 cm breit) abschneiden.

2 Etwas Kleber auf den Reif auftragen und ein Ende des Krepp-Papier-Streifens festkleben. Das angeklebte Ende festhalten und den Streifen um den Reif wickeln. Krepp-Papier ist dehnbar, sodass man es leicht schräg ziehen kann, damit sich die Kanten überlappen und der Reif komplett mit Papier überzogen ist.

3 Sobald der gesamte Reif umwickelt ist, das lose Ende des Krepp-Papier-Streifens festkleben, um es zu fixieren. Den überschüssigen Papierstreifen abschneiden.

Hinweis: Wer einen größeren Reif umwickelt, muss möglicherweise mehr als einen Krepp-Papier-Streifen verwenden.

FRANSEN-REIF

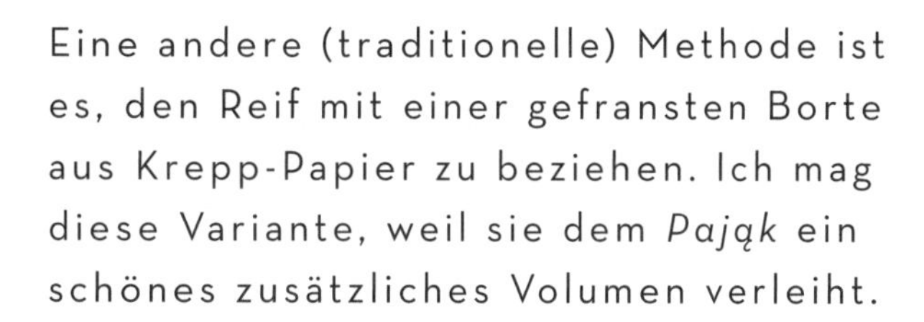

Eine andere (traditionelle) Methode ist es, den Reif mit einer gefransten Borte aus Krepp-Papier zu beziehen. Ich mag diese Variante, weil sie dem *Pająk* ein schönes zusätzliches Volumen verleiht.

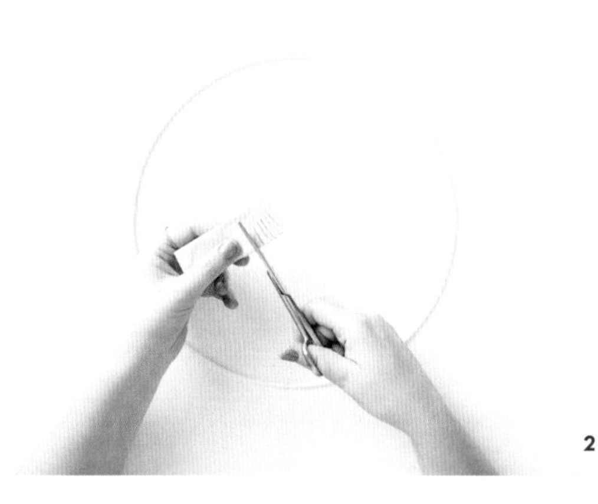

2

Das wird benötigt

Krepp-Papier
Schere
Metallreif
Kleber

3

1 Vom Krepp-Papier 1 langen Streifen (3 cm breit) abschneiden.

2 Den Streifen wie eine Ziehharmonika falten und an einer Seite eine Reihe von Schnitten von 1 cm anbringen, die sehr dicht beieinanderliegen.

3 Eine kleine Menge Kleber auf den Reif auftragen und ein Ende des Krepp-Papier-Streifens mit den Fransenseite nach außen am Reif festkleben.

4

4 Das angeklebte Ende festhalten und den Streifen um den gesamten Rahmen wickeln, wie auf Seite 28 beschrieben.

ARM-FORMEN

Es gibt verschiedene Möglichkeiten, die Arme eines *Pająk* zu gestalten. In der Vergangenheit war die beliebteste Art das Anbringen von Kreisen aus Seidenpapier zwischen Stroh-Zuschnitten. Ich verwende auch gerne Tonpapier-Kreise, weil ich finde, dass sie dem Mobile eine hübsche, moderne Optik verleihen. Ich habe einige schöne, inzwischen vergessene Elemente wie *Łowicz*-Kreise oder Krepp-Papier-Fransen hinzugefügt. Bei der Planung kann man sich für ein Lieblingsdesign entscheiden und die gewünschten Formen (alternierend mit Stroh-Zuschnitten) mit einer Nadel auf Schnüre fädeln.

1 2 3 4 5

6 7

1 Fluffige Seidenpapier-Kreise
Mit Zirkel und Schere (oder 3-mm-Kreisstanzer) aus jeweils 10 Lagen Seidenpapier Kreis-Sets herstellen. Mit der Schere 8-mal um den Rand herum Schnitte anbringen und mit der Nadel durch die Mitte des Sets stechen. Die Lagen nach dem Auffädeln auffächern.

2 Einfache Tonpapier-Kreise
Mit Zirkel und Schere (oder 3-mm-Kreisstanzer) die gewünschte Anzahl von Formen aus farbigem Tonpapier herstellen. Man kann auch andere Formen anfertigen: Dreiecke, Sterne oder Blumen.

3 Łowicz-Kreise
Mit Zirkel und Schere (oder 3-mm-Kreisstanzer) aus je 20 Lagen Seidenpapier Kreis-Sets herstellen. Den Schritten 3–6 der Röhren-Pompon-Methode auf den Seiten 48–49 folgen.

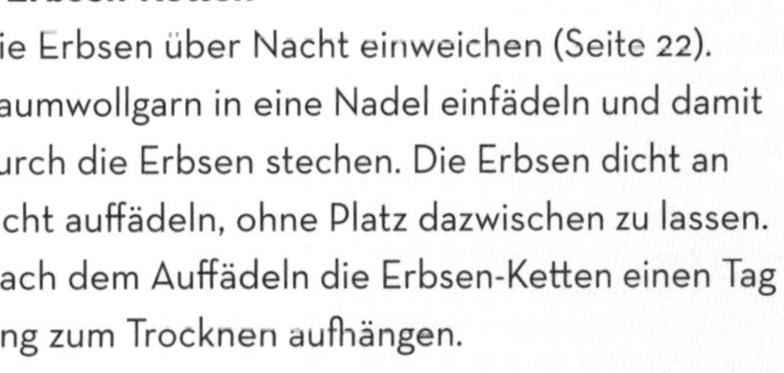

4 Erbsen-Ketten
Die Erbsen über Nacht einweichen (Seite 22). Baumwollgarn in eine Nadel einfädeln und damit durch die Erbsen stechen. Die Erbsen dicht an dicht auffädeln, ohne Platz dazwischen zu lassen. Nach dem Auffädeln die Erbsen-Ketten einen Tag lang zum Trocknen aufhängen.

5 Kugeln aus Alufolie
3 cm große Quadrate aus Alufolie ausschneiden und zu Kugeln zusammenknüllen.

6 Krepp-Papier-Schmetterlinge
Streifen (10 cm breit) aus Krepp-Papier zuschneiden. Die Länge der Streifen hängt davon ab, wie voluminös man die Schmetterlinge haben möchte. Das Papier wie eine Ziehharmonika (falten, umdrehen, falten, umdrehen). Jede Faltung kann etwa 7 mm breit sein. Beim Auffädeln den Faden jeweils 2-mal um die Mitte jedes Schmetterlings wickeln.

7 Krepp-Papier-Fransen
Aus gefaltetem Krepp-Papier 1 langen Streifen (3 cm breit) ausschneiden. Entlang einer der Längsseiten 2 cm hohe Schnitte anbringen, dicht nebeneinander. Den Streifen auffalten und auf die gewünschte Länge zuschneiden.

POMPONS & BLÜTEN

Traditionelle *Pająki* wären ohne aufwendige Pompons und Blüten aus Papier viel weniger spektakulär. Sie machen die Struktur dieser Mobiles so erstaunlich und einzigartig. Die hübschen Bommeln und Blumen lassen sich in den verschiedensten Formen und Größen anfertigen, und die Farboptionen sind schier endlos – man kann wählen, was einem gefällt!

In diesem Abschnitt stelle ich eine Vielzahl von traditionellen Pompons vor – den flauschigen und blumigen Kalinka-Pompon, den stacheligen Igel-Pompon und meinen Favoriten (und vielleicht die größte Herausforderung!), den Röhren-Pompon. Außerdem einige prächtige Blumen aus Papier, wie die Kurpie-Rose und die Nelkenblüte.

Abgesehen davon, dass Pompons ein wichtiger Bestandteil eines *Pająk* sind, kann man die rundlichen Gebilde auch als Einzeldekoration verwenden – früher wurden sie manchmal wie Christbaumkugeln an Weihnachtsbäume gehängt. Sie sehen aber auch am Fenster toll aus.

KALINKA-POMPON

Dieser Anfänger-Pompon heißt »Kalinka«, nach den kugelförmigen Blüten des in ganz Osteuropa verbreiteten Rosenstrauches.

Lagen 15 • **Größe** 10 cm Durchmesser

Das wird benötigt

Seidenpapier
Lineal
Zirkel
Bleistift
Stecknadel
Schere
Baumwollgarn
6-cm-Nähnadel
Alufolie

Hinweis: Wenn man Pompons zur Verzierung eines *Pająk* herstellt, sollte man lange Baumwollgarn-Fäden zum Festbinden hängen lassen. Um einen einzelnen Pompon aufzuhängen, kann man ein Stück Textilband an die Fäden binden und überschüssige Fadenenden abschneiden (weitere Tipps zum Anbringen eines Bandes siehe Schritt 5 auf Seite 45).

1 Vom Seidenpapier 5 Blätter übereinanderlegen und in Drittel falten, dabei ein Drittel über das andere schlagen. Mit einem Zirkel einen Kreis von 10 cm Durchmesser auf die obere Lage des Seidenpapier-Stapels zeichnen.

2 Die Stecknadel durch die Mitte des Kreises stechen, um die Lagen zusammenzuhalten, dann durch alle Lagen hindurch den Kreis ausschneiden.

3 Durch alle Lagen hindurch (die Nadel noch nicht entfernen), 8 gleichmäßig verteilte Segmentschnitte um den Rand herum einschneiden, zuerst an den Viertelpunkten und dann mittig zwischen diesen. Die Schnitte sollten 1 cm von der Nadel entfernt enden.

4 Die Nadel entfernen und die Lagen trennen. Dann die erste Lage bearbeiten und jedes Segment vorsichtig um 180 Grad verzwirbeln, sodass 8 »Blütenblätter« entstehen.

5 Das Ende jedes Blütenblattes mit Daumen und Finger zu einer gewölbten Form biegen. Die

2

3

4

restlichen Lagen ebenso herstellen. Vom Baumwollgarn 1 Stück abschneiden (50 cm), in das Öhr der Nähnadel einfädeln, mittig zweifach nehmen und die Enden verknoten. 1 kleines Stück Alufolie (1 cm) um den Knoten wickeln.

5

6 Die Nadel durch die Mitte jeder Blütenlage stechen und die Lagen auf der Nadel abwechselnd übereinander so positionieren, dass immer eine Wölbung nach oben und die nächste nach unten zeigt. Darauf achten, dass die Blütenblätter versetzt angeordnet sind, damit keine Lücken entstehen. Sobald alle Lagen auf der Nadel aufgefädelt sind, sie bis zum Knoten hinunterschieben.

6

7 Aus mehreren Lagen Seidenpapier 1 kleines Quadrat (1 cm) ausschneiden und mit der Nadel durchstechen. In den Pompon schieben, um dessen Lagen zu fixieren. Dies dient als Stopper. Die Nadel vom Faden abschneiden und dicht am Quadrat einen Doppelknoten binden. Die Lagen mit den Fingern auffächern, damit der Pompon schön voluminös wird.

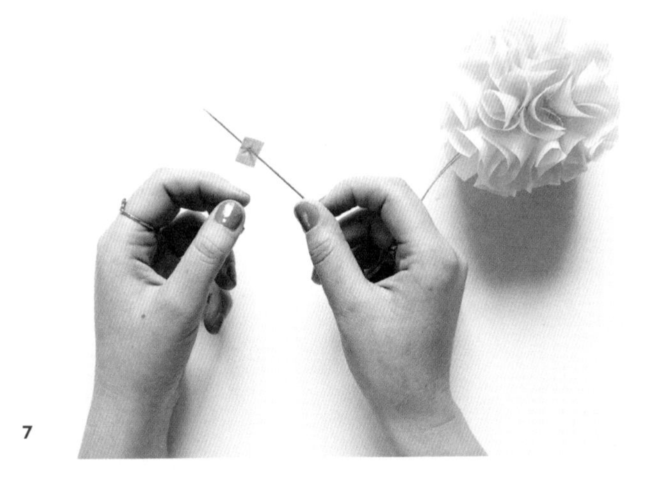
7

IGEL-POMPON

Dieser Pompon trägt im Polnischen den Namen *Jeżyk* (Igel) aufgrund seiner stacheligen Form!

Lagen 12 • **Größe** 10 cm Durchmesser

Das wird benötigt

Seidenpapier
Lineal
Zirkel
Bleistift
Spitzer
Stecknadel
Schere
Kleber
Baumwollgarn
6-cm-Nähnadel
Alufolie

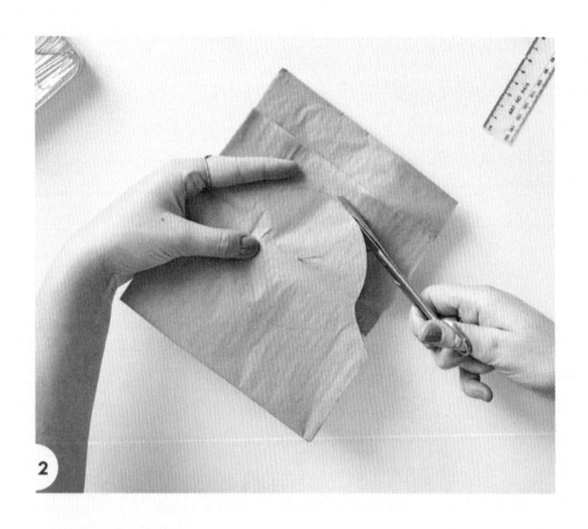

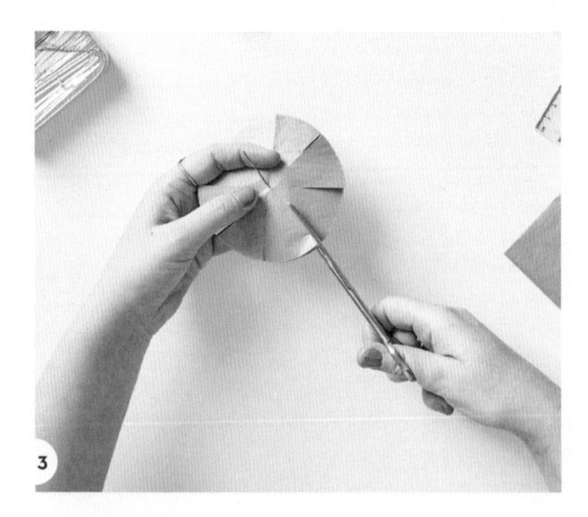

1 Vom Seidenpapier 4 Blätter übereinanderlegen und in Drittel falten, dabei ein Drittel über das andere schlagen. Mit einem Zirkel 1 Kreis von 10 cm Durchmesser auf die obere Lage des Seidenpapier-Stapels zeichnen.

2 Die Stecknadel durch die Mitte des Kreises stechen, um die Lagen zusammenzuhalten, dann durch alle Lagen hindurch den Kreis ausschneiden.

3 Durch alle Lagen hindurch (die Nadel noch nicht entfernen),8 gleichmäßig verteilte Schnitte um den Rand herum einschneiden, zuerst an den Viertelpunkten und dann mittig zwischen diesen. Die Schnitte sollten 1 cm von der Nadel entfernt enden.

4 Die Nadel entfernen und die Lagen trennen. Eine erste Lage nehmen und einen angespitzten Bleistift in die Mitte eines der 8 Segmente legen (die Spitze des Bleistifts dabei am Rand des Kreises ausrichten).

5 Die linke Ecke des Seidenpapier-Segments um die Spitze des Bleistifts wickeln.

6

7

9

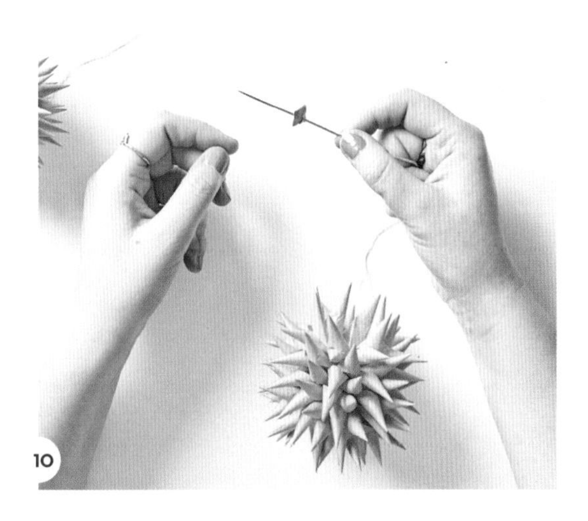

10

6 Die rechte Ecke des Seidenpapiers um die Spitze wickeln und mit ein wenig Kleber fixieren, sodass ein Stachel entsteht.

7 Den Bleistift herausziehen und die restlichen Segmente auf die gleiche Weise zu Stacheln verarbeiten. Die restlichen Lagen ebenso gestalten.

8 Vom Baumwollgarn 1 Faden (50 cm) abschneiden, in das Öhr der Nähnadel einfädeln, mittig doppelt nehmen und die Enden verknoten. 1 kleines Stück Alufolie um den Knoten wickeln.

9 Die Nadel mittig durch alle Lagen stechen, dabei die Lagen alternierend so auffädeln, dass eine nach oben und die nächste nach unten zeigt. Sobald alle Lagen auf der Nadel aufgespießt sind, sie bis zum Knoten hinunterschieben.

10 Aus 8–10 Lagen Seidenpapier 1 kleines Quadrat (1 cm) ausschneiden und mit der Nadel durchstechen. Nach unten in den Pompon schieben, um dessen Lagen zu fixieren. Dies dient als Stopper. Die Nadel abschneiden und die Fäden mit einem Doppelknoten dicht über dem Stopper fixieren. Die Fadenenden hängen lassen.

Józefs IGEL-POMPON

Dies ist eine besondere Variante des Igel-Pompons, die von einem reizenden Volkskünstler namens Józef entwickelt wurde. Das Besondere daran ist, dass er die Zacken des Pompons mit Alufolie überzieht, sodass das Ganze wie ein Eiskristall aussieht. Dieser Pompon ist ein wunderschöner Christbaumschmuck und macht auch allein aufgehängt viel her.

Lagen 12 • **Größe** 10 cm Durchmesser

Das wird benötigt

weißes Papier, wie etwa DIN-A4-Druckerpapier
Lineal
Zirkel
Bleistift
Spitzer
6-cm-Nähnadel
Schere
Alufolie
Kleber
Baumwollgarn
Textilband, 5 mm breit (optional)

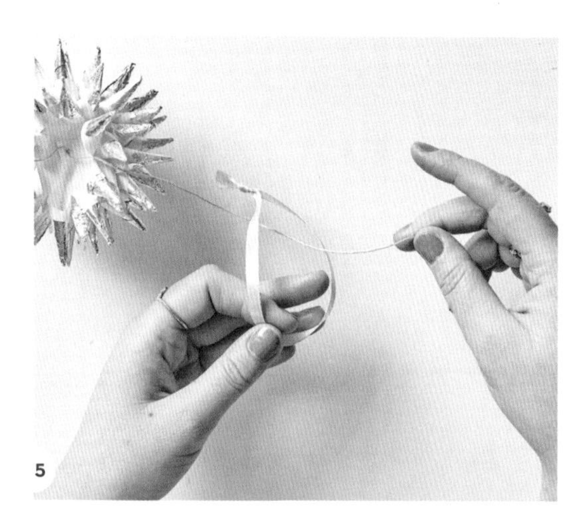

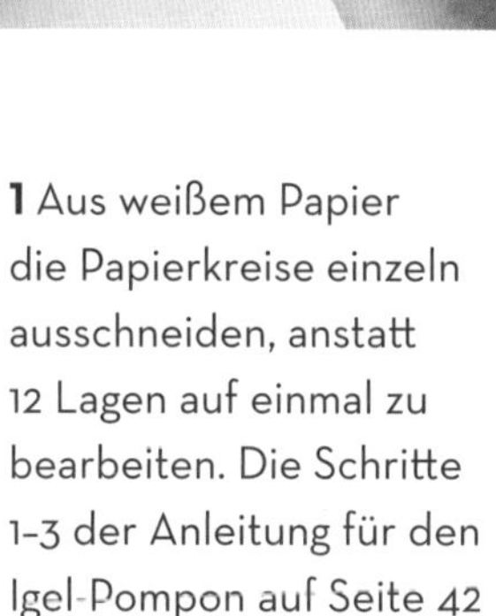

1 Aus weißem Papier die Papierkreise einzeln ausschneiden, anstatt 12 Lagen auf einmal zu bearbeiten. Die Schritte 1–3 der Anleitung für den Igel-Pompon auf Seite 42 ausführen.

2 Aus Alufolie 96 kleine Quadrate ausschneiden (eines für jeden entstehenden Stachel). Sie müssen nicht exakt sein, aber sie sollten alle etwa 2–3 cm groß sein.

3 Um die Stacheln anzufertigen, den Schritten 4–7 auf den Seiten 42–43 folgen. Ein Stück Alufolie um das spitze Ende jedes Stachels biegen und mit etwas Kleber befestigen.

4 Um die Lagen aufzufädeln, den Schritten 8–9 auf Seite 43 folgen und dabei nur 2 Papierquadrate (je 1 cm) als Stopper verwenden (das Druckerpapier ist viel stärker). Die Garnenden nicht abschneiden, um mit ihnen später den Pompon am *Pająk* anzubinden.

5 Um einen Aufhänger für einen einzelnen Pompon anzubringen, ein 20 cm langes Textilband mittig falten und an den Enden verknoten, sodass eine Schlaufe entsteht. Das eine Garnende durch die Mitte der Schlaufe ziehen und mit dem anderen Garnende mit einem festen Doppelknoten verbinden. Überschüssige Garnenden abschneiden.

RÖHREN-POMPON

Auch wenn es nach viel Arbeit aussieht und tatsächlich ziemlich zeitaufwendig ist, ist dies mein liebster traditioneller Papier-Pompon und den Aufwand auf jeden Fall wert!

Lagen 30 • **Größe** 8 cm Durchmesser

Das wird benötigt

Seidenpapier
Lineal
Zirkel
Bleistift
2 Stecknadeln
Schere
Löffel mit einem sehr flachen, einfachen Griff
Baumwollgarn
6-cm-Nähnadel
Alufolie

2

1 Vom Seidenpapier 5 Blätter übereinanderlegen und in Drittel falten, dabei jeweils ein Drittel über das andere schlagen. So entsteht ein 15 Lagen dicker Stapel. Den Vorgang mit weiteren 5 Blättern wiederholen, sodass 2 Stapel mit je 15 Lagen entstehen.

2 Mit dem Zirkel jeweils 1 Kreis (8 cm Durchmesser) auf die obere Lage eines Seidenpapier-Stapels zeichnen. Eine Stecknadel durch die Mitte des Kreisbündels stechen, um die Lagen zusammenzuhalten, dann durch alle Lagen hindurch den Kreis ausschneiden. Den Vorgang für den zweiten Stapel wiederholen.

3

3 Durch alle Lagen eines Stapels (die Nadel noch nicht entfernen) 16 gleichmäßig verteilte Schnitte um den Rand herum einschneiden, zuerst an den Viertelpunkten und dann mittig zwischen diesen. Die Schnitte sollten 1 cm von der Nadel entfernt enden.

4

4 Die Nadel entfernen und die Lagen trennen. Eine erste Lage in die Handfläche legen. Jedes Segment mit dem flachen Griff des Löffels aufrollen. Dabei den Griff parallel zur Schnittkante halten und ihn entlang des Papiers bewegen, als würde man Butter auf ein Brot streichen. Dies erfordert etwas Übung und Geduld. Jedes Segment auf die gleiche Art und Weise aufrollen.

5 Die restlichen Lagen (auch die des zweiten Stapels) auf die gleiche Weise bearbeiten. 1 Faden (50 cm) vom Baumwollgarn abschneiden, in das Öhr der 6-cm-Nähnadel einfädeln, mittig doppelt nehmen und an den Enden verknoten.

6

7

1 kleines Stück Alufolie (1 cm)um den Knoten wickeln.

6 Die Nadel durch die Mitte jeder Lage stechen. Die Lagen so anordnen, dass eine nach oben und die nächste nach unten zeigt. Sobald alle Lagen auf der Nadel aufgespießt sind, sie bis zum Knoten hinunterschieben.

7 Sobald alle Lagen aufgefädelt sind, aus 8–10 Lagen Seidenpapier 1 kleines Quadrat (1 cm) ausschneiden und die Nadel mittig hineinstechen. Die Quadrat-Lagen in den Pompon schieben, um dessen Lagen zu fixieren. Dies dient als Stopper. Die Nadel abschneiden und die Fadenenden mit einem Doppelknoten am Stopper verbinden.

ŁOWICZ-POMPON

Dies ist eine schöne Variante des Röhren-Pompons. Ich nenne sie »Łowicz-Pompon«, weil ich diese Art von Bommel im einzigartigen Muzeum Ludowe Rodziny Brzozowskich im polnischen Sromów (nahe Łowicz) entdeckt habe. Brzozowskichs Frau Wanda stellte *Pająki* her, um den Raum zu schmücken – die Anzahl und Vielfalt war unglaublich. Es war ein sehr inspirierender Besuch!

Lagen 30 • **Größe** 8 cm Durchmesser

Das wird benötigt

Seidenpapier
Lineal
Zirkel
Bleistift
Stecknadeln
Schere
Löffel mit einem sehr flachen, einfachen Griff
Baumwollgarn
6-cm-Nähnadel
Alufolie

2

4

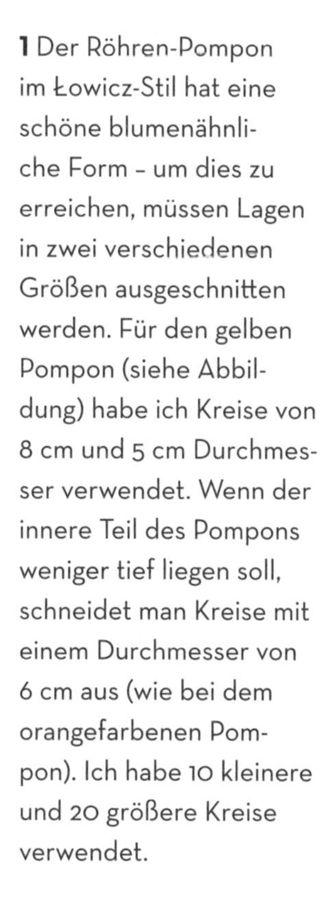

1 Der Röhren-Pompon im Łowicz-Stil hat eine schöne blumenähnliche Form – um dies zu erreichen, müssen Lagen in zwei verschiedenen Größen ausgeschnitten werden. Für den gelben Pompon (siehe Abbildung) habe ich Kreise von 8 cm und 5 cm Durchmesser verwendet. Wenn der innere Teil des Pompons weniger tief liegen soll, schneidet man Kreise mit einem Durchmesser von 6 cm aus (wie bei dem orangefarbenen Pompon). Ich habe 10 kleinere und 20 größere Kreise verwendet.

2 Den Schritten 1–6 auf den Seiten 48–49 folgen, wobei man sowohl die großen als auch die kleinen Kreise verwendet (wie in Schritt 1 links beschrieben).

3 Die Nähnadel durch die Mitte jeder Lage stechen, dabei zuerst die kleineren Lagen und dann die größeren. Die Lagen abwechselnd positionieren, sodass eine nach oben und die nächste nach unten zeigt.

4 Sobald alle Lagen aufgefädelt sind, Schritt 7 auf Seite 49 folgen, um den Vorgang abzuschließen.

KURPIE-ROSE

Dies ist eine traditionelle Papierrose, wie sie in der polnischen Region Kurpie hergestellt wird. Jede Blüte wird aus Krepp-Papier gefertigt, das an einer Kante verzwirbelt und dann zu Blütenblättern aufgerollt wird.

Größe 7 cm Durchmesser

Das wird benötigt

Krepp-Papier (1 Farbe nach Wunsch für die Blüte plus Grün für den Stängel)
Lineal
Schere
Baumwollgarn
Blumendraht, 15 cm lang
Kleber

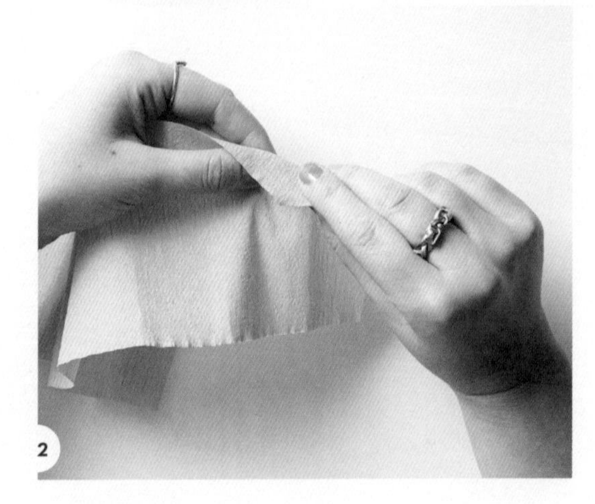

1 Vom Krepp-Papier 1 langen Streifen (90 x 10 cm) abschneiden. Den Streifen vor sich ausbreiten und die rechte Ecke so umfalten, dass 1 Dreieck von etwa 4 cm Höhe entsteht.

2 Das Dreieck unten mit dem rechten Daumen fixieren, eine weitere Lage des Papiers auf dem Dreieck nach unten falten, wie gezeigt.

3 Das neue Dreieck unten mit dem linken Daumen festhalten, die rechte Hand von sich weg drehen und das Papier auseinanderfalten, indem man es mit dem rechten Daumen flach drückt. Darauf achten, das Papier nicht zu zerreißen. Es soll eine gerundete »Wellenform« entstehen.

4 Den rechten Daumen bewegen und das Papier neben der »Welle« festhalten. Die Schritte 3a–3c wiederholen, um eine weitere »Welle« zu erzeugen.

5 Die gesamte Länge des Papierstreifens zu »Wellen« verarbeiten.

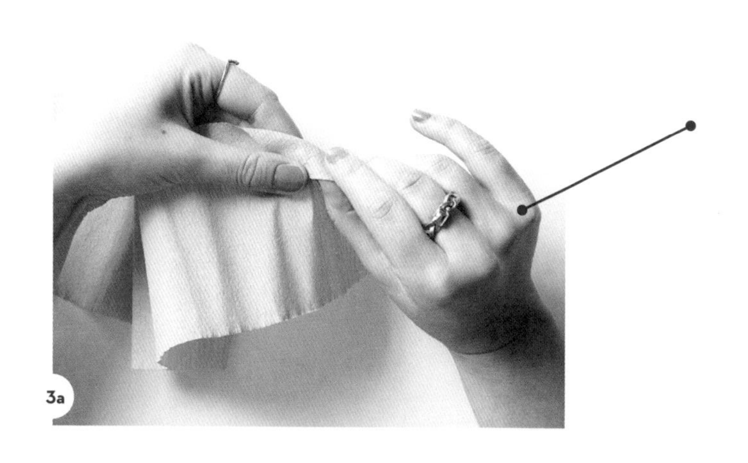

Die rechte
Hand von
sich weg
drehen.

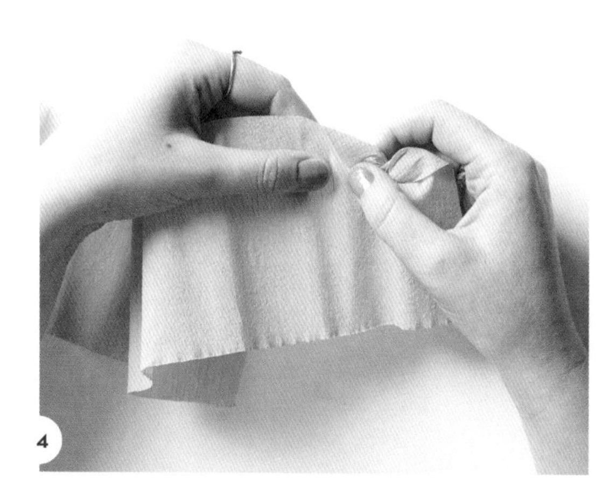

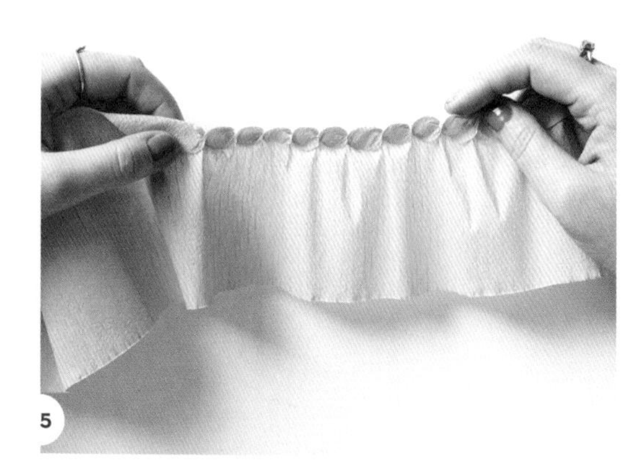

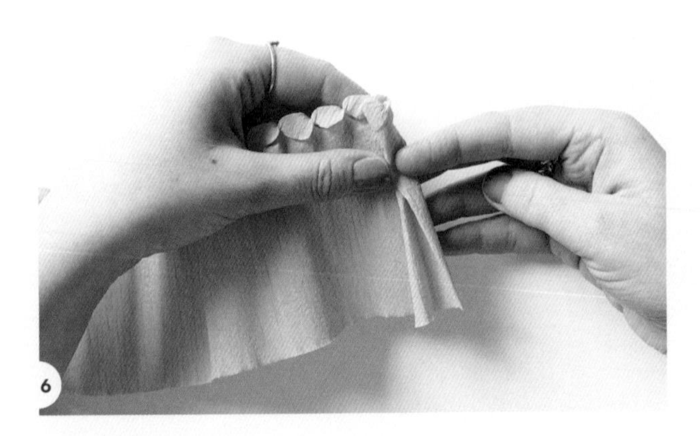

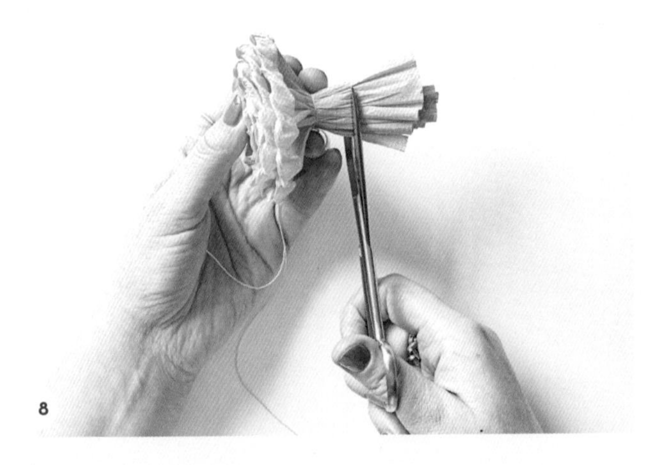

6 Nun geht es ans Aufrollen der Rose. Am rechten Ende des Streifens beginnend das Ende nach innen falten und langsam nach links aufwickeln.

7 Die gefalteten Wellenkanten vorsichtig nach außen drücken, damit sich die Wellen wie eine Rose öffnen. Die Blume sollte oben flach sein, daher beim Aufrollen darauf achten, dass man die die Lagen mit den Fingern anpasst.

8 Sobald die Blüte fertig aufgerollt ist, vom Baumwollgarn 1 Faden (10 cm) abschneiden, ihn um den unteren Teil der Blüte wickeln und mit einem einen festen Doppelknoten sichern. Das überschüssige Papier abschneiden.

9 Ein Ende des 15 cm langen Stücks Blumendraht einige Male fest um die Garnumwicklung wickeln und das andere Drahtende nach unten biegen, sodass ein langer Stiel entsteht. 1 Streifen (4 cm breit) grünes Krepp-Papier zuschneiden, und mit der Schere eine Reihe von Einschnitten bis zur halben Breite des Papierstreifens anbringen. Die Schnitte sollten dicht beieinanderliegen, damit ein Franseneffekt entsteht.

10 Etwas Kleber auf den Stielansatz der Blume geben, dann um den Draht herum das grüne Krepp-Papier um den Stiel wickeln, mit den Fransen nach außen.

11 Den gesamten Drahtstiel umwickeln, bis er vollständig bedeckt ist. Überschüssigen Papierstreifen abschneiden und sein Ende am Drahtende ankleben.

Die Rose ist fertig. Sie kann für einen Blumenstrauß oder zur Dekoration eines *Pająk* verwendet werden.

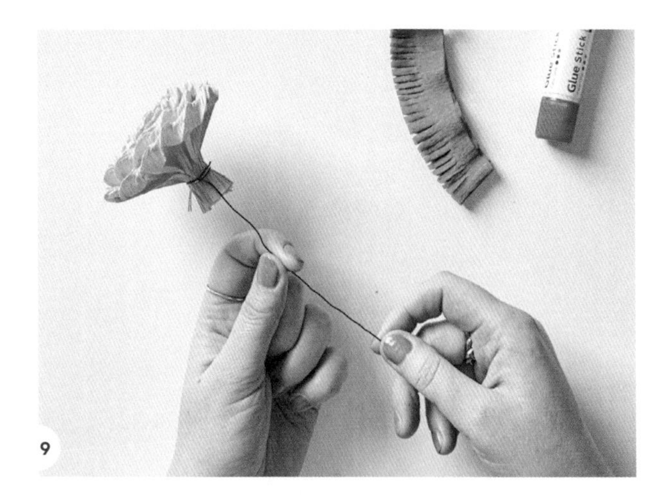

9

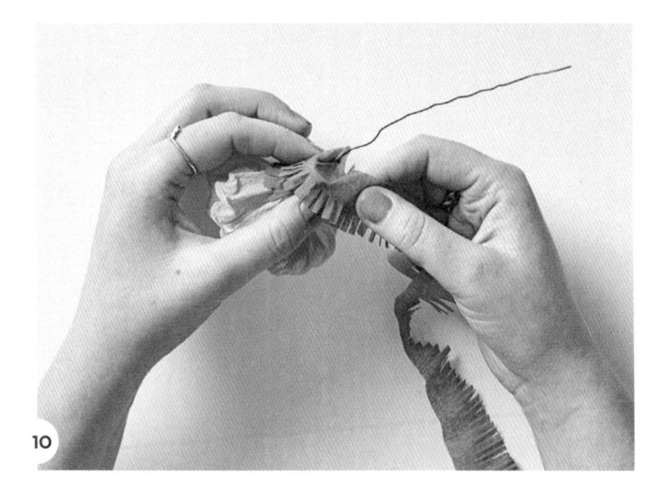
10

11

NELKENBLÜTE

Ich nenne dies eine Nelke, weil ihre Form und ihr flauschiges Aussehen mich an diese hübschen Blumen erinnern. Sie eignet sich perfekt zum Verzieren einfacher Formen, wie dem Geometrischen *Pająk* (Seite 84).

Lagen 30 • **Größe** 4 cm

Das wird benötigt

Seidenpapier
Lineal
Zirkel
Bleistift
Stecknadel
Schere
Baumwollgarn
Alufolie
6-cm-Nähnadel

1 Vom Seidenpapier 10 Blatt übereinanderlegen und in Drittel falten, dabei ein Drittel über das andere schlagen. So entsteht ein 30 Lagen dicker Stapel. Mit einem Zirkel einen Kreis von 4 cm Durchmesser auf die obere Lage des Stapels zeichnen. Die Stecknadel durch die Mitte des Kreises stechen, um die Lagen zusammenzuhalten, dann durch alle Lagen hindurch den Kreis ausschneiden.

2 Durch alle Lagen des Stapels hindurch (die Nadel noch nicht entfernen) 4 gleichmäßig verteilte Schnitte um den Rand herum einschneiden, an den Viertelpunkten. Die Schnitte sollten 1 cm von der Nadel entfernt enden.

3 Die Nadel entfernen, aber die Lagen zusammenlassen. Den Kreis mittig an einer Stelle falten, an der sich 2 der Einschnitte befinden.

4 Weitere 8 Einschnitte anbringen, 4 in jedem Viertel. Sie werden recht eng beieinander liegen.

5 Vom Baumwollgarn 1 Faden (50 cm) abschneiden, in das Öhr der 6-cm-Nähnadel einfädeln, mittig doppelt nehmen und die Enden mit einem Doppelknoten verbinden. 1 kleines Quadrat Alufolie ausschneiden und um den Knoten wickeln. Die Nadel durch die Mitte der Lagen stechen. 1 kleines Quadrat (1 cm) aus mehreren Lagen Seidenpapier ausschneiden und die Nadel mittig hindurchstechen. Die Quadrat-Lagen nach unten in die Blüte schieben, um deren Lagen zu fixieren. Die Nadel abschneiden und die Garnenden mit einen Doppelknoten im Inneren der Blüte fixieren.

6 Die Lagen der Blüte vorsichtig mit den Fingern zurechtzupfen, bis man mit der Form zufrieden ist.

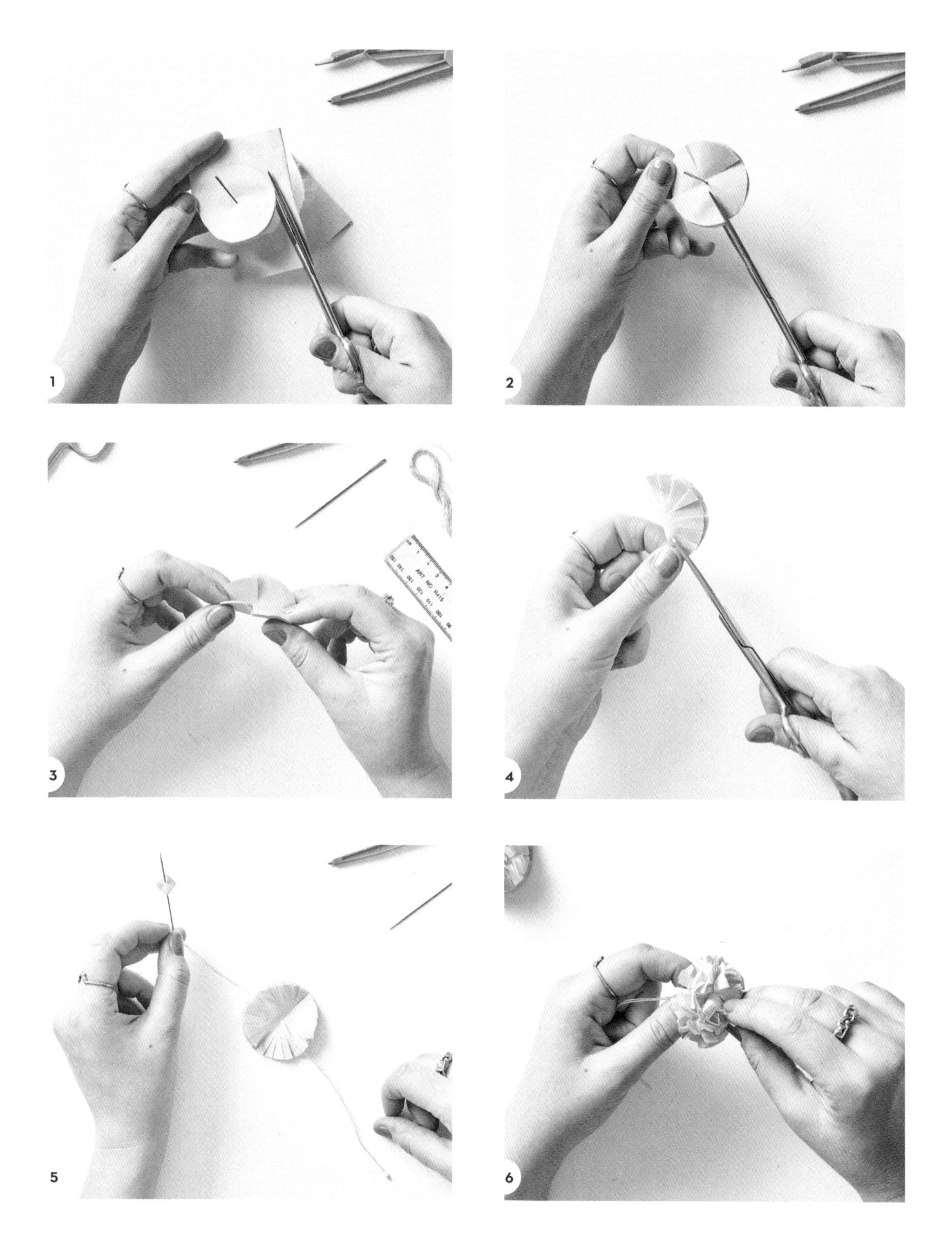
1
2
3
4
5
6

POMPONS & QUASTEN AUS WOLLE

Wollene Pompons und Quasten sind eine perfekte Möglichkeit, traditionellen *Pająki* einen modernen Touch zu verleihen. Es macht so viel Spaß, die lustigen Bommel aus verschiedenfarbigen Garnen anzufertigen. Sie sind einfach herzustellen und verleihen dem Design hübsche Details. Sie eignen sich nicht nur ideal für Projekte für ein Kinderzimmer, sondern auch als Teil einer größeren Installation im Wohnzimmer.

Das wird benötigt

Pompon-Schablone (Seite 190)
mittelfester Karton
Bleistift
Schere
Wolle
breite Sticknadel mit stumpfer Spitze (optional)

Woll-Pompon

1 Die Pompon-Schablone (Seite 190) zweifach auf Karton übertragen und beide Formen ausschneiden.

2 Von der Wolle 1 Faden (25 cm) abschneiden. Eine der Schablonen auf die Arbeitsfläche legen und das Garn wie abgebildet der Form folgend darauflegen. Die Enden des Wollfadens müssen großzügig über den Rand der Schablone hinausragen.

3 Die zweite Schablone bündig darauflegen und den Stapel mit leichtem Druck zwischen Daumen und Zeigefinger in eine Hand nehmen, wobei der Wollfaden seine Position behalten muss. Beide Teile mit Wolle umwickeln, indem man an einem Ende beginnend vorwärts und rückwärts arbeitet, um die gesamte Form gleichmäßig dicht zu umwickeln, bis kein Faden mehr in die Lücke in der Mitte passt.

4 Die Enden des 25-cm-Fadens greifen, der zwischen den Schablonen liegt, und ihn fest zusammenziehen und lose verknoten. Die Klinge einer Schere an einem Ende zwischen die beiden Schablonen schieben und die Fäden rundherum durchschneiden. Alles sorgfältig mit einer Hand zusammenhalten.

5 Wieder an den beiden Enden des Mittelfadens ziehen und einen festen Doppelknoten binden.

6 Die Schablonen vorsichtig entfernen. Den Pompon zuschneiden, damit die Konturen schön glatt und rund werden. Man kann ein längeres Stück Wolle an dem Knoten befestigen, wenn man den Pompon einzeln aufhängen möchte.

Hinweis: Die Schablone auf Seite 190 ergibt einen Pompon von etwa 10 cm Durchmesser. Um Pompons in verschiedenen Größen anzufertigen, muss man die Vorlage verkleinern oder vergrößern. Beim Zuschneiden der Konturen geht immer etwa 1 cm Pompon verloren – dies gilt es bei der Planung zu berücksichtigen.

2

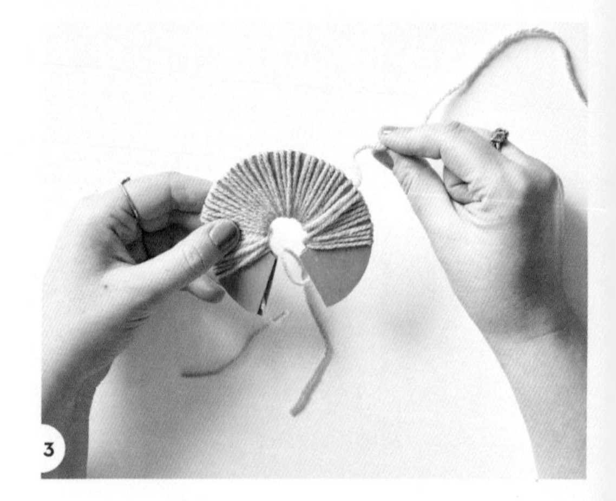
3

4

6

Woll-Quaste

1 Aus Karton 1 Rechteck (12 x 10 cm) zuschneiden.

2 Wolle mindestens 10-mal der Länge nach um das Stück Karton wickeln. Je öfter man den Faden umwickelt, umso voluminöser wird die Quaste.

3 Von der Wollle 2 Fäden (je 20 cm) abschneiden. Einen ersten Faden (optional mithilfe einer breiten Sticknadel) horizontal unter den gewickelten Fäden an der oberen Kante des Kartons hindurchfädeln und mit einem festen Doppelknoten fixieren.

4 Die Umwicklungen mit einer Schere entlang der unteren Kante des Kartons durchschneiden und alles vom Karton lösen.

5 Das Fadenbündel mit dem zweiten 20-cm-Faden oben umwickeln, etwa 3 cm unterhalb des Aufhängefadens, wie gezeigt. Mit einem Doppelknoten sichern. Zum Schluss die untere Kante der Quaste bündig abschneiden, sodass die Fäden alle gleich lang sind.

Hinweis: Diese Anleitung ergibt eine Quaste von etwa 11 cm Länge. Wer Quasten in verschiedenen Formaten anfertigen möchte, vergrößert oder verkleinert einfach den Karton. Für eine Quaste von 5 cm wird beispielsweise ein 6 x 10 cm großes Kartonrechteck benötigt.

Traditionelle PAJĄKI

KALINKA-PAJĄK

Dies ist ein einfacher *Pająk*, perfekt für Anfänger. Er besteht aus einer Grundstruktur, die mit klassischen Kalinka-Pompons verziert wurde. Bei der Gestaltung habe ich mich von den satten Farben der Gemälde von Pierre Bonnard inspirieren lassen – tolle Farbkombinationen können einem überall begegnen, daher empfehle ich, einfach die Augen offen zu halten.

Höhe 60 cm • **Breite** 32 cm

Das wird benötigt

Roggen- oder Papierstroh
Lineal
Schere
Tonpapier in sechs verschiedenen Farben (ich habe Cremeweiß, Pfirsich, Hellrosa, Rot, Fuchsia und Burgunderrot verwendet)
3-cm-Kreisstanzer (optional)
Zirkel
Bleistift
Seidenpapier (in Rot und Fuchsia)
Metallreif, 30 cm Durchmesser
Krepp-Papier (in Fuchsia)
Kleber
Baumwollgarn
6-cm-Nähnadel
Textilband, 5 mm breit

Das ist vorzubereiten

Stroh-Zuschnitte:
56 kurze (3 cm)
16 lange (6 cm)

Einfache Tonpapier-Kreise (Seite 33):
64 in den gewünschten Tonpapier-Farben (3 cm)

Set aus je 15 losen Lagen für Kalinka-Pompon (Seite 36):
1 in Rot (10 cm)

Fertige Kalinka-Pompons (Seite 36):
4 in Fuchsia (10 cm)

Tipp: Ich habe Cremeweiß, Pfirsich, Hellrosa, Rot, Fuchsia und Burgunderrot in meinem Entwurf verwendet, weil ich Abstufungseffekte wie diesen liebe, aber man kann auch weniger oder viel mehr Farben einsetzen, ganz nach Lust und Laune! Man muss auch nicht unbedingt Einfache Kreise verwenden – es sind unterschiedlichste Formen denkbar.

Struktur des PAJĄK

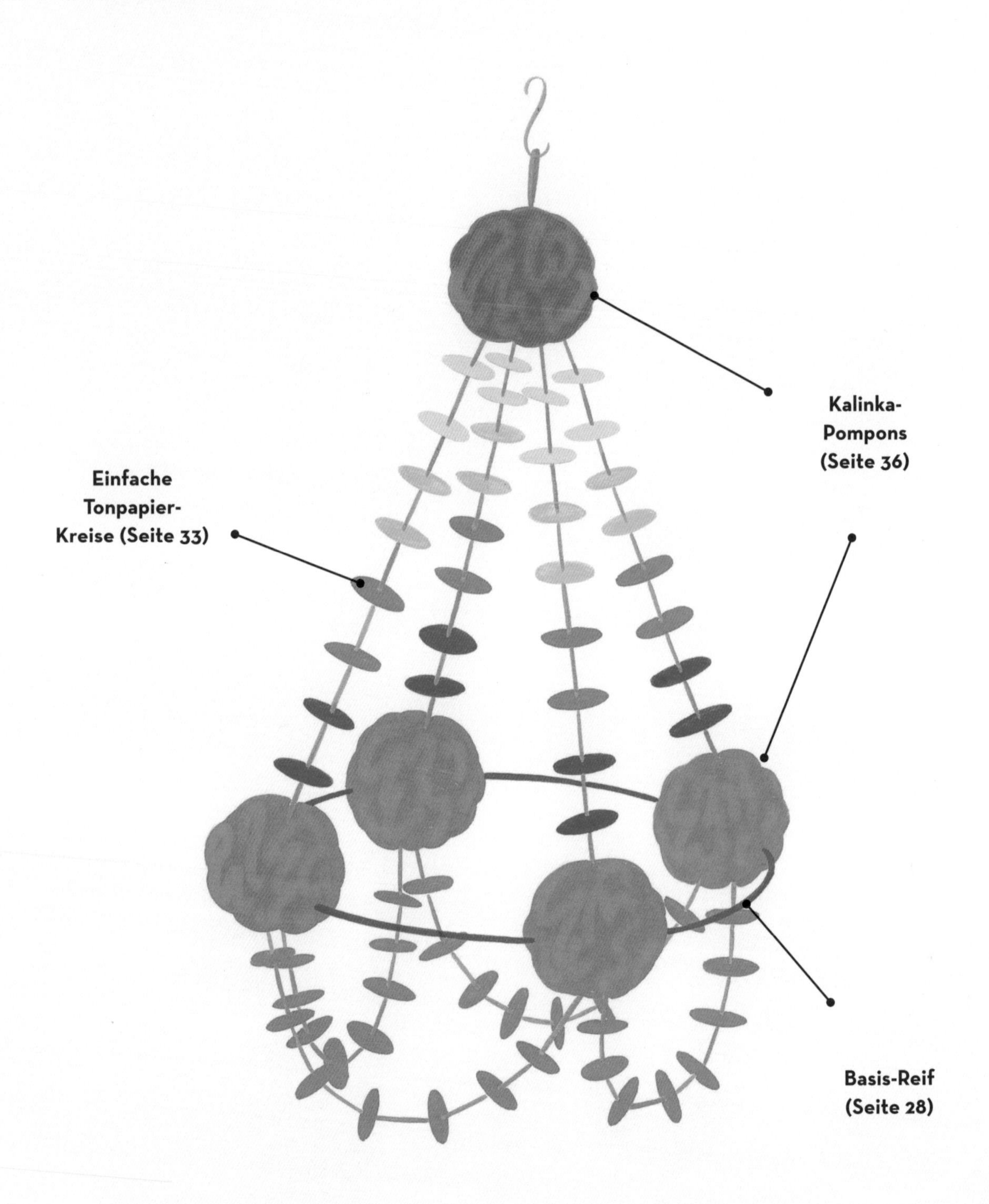

8

1 Den Reif mit fuchsiafarbenem Krepp-Papier umwickeln (Seite 28).

Obere Arme

2 Vom Baumwollgarn 4 Fäden abschneiden (je 80 cm). Diese symmetrisch an den Viertelpunkten am Reif anbringen, hierfür jeden Faden einige Male um den Reif schlingen und mit mindestens 2 Knoten fest anbinden.

3 Den ersten Faden greifen, das lose Ende in das Öhr einer 6-cm-Nähnadel einfädeln und dann 1 langen Stroh-Zuschnitt, 7 kurze Stroh-Zuschnitte, dann 1 weiteren langen Stroh-Zuschnitt auffädeln (dazwischen 8 Tonpapier-Kreise – also jeweils 1 Kreis als Stopper zwischen den Stroh-Zuschnitten).

Tipp: Den Tonpapier-Kreis auf beiden Seiten mit den Fingern spannen – so lässt sich die Nadel leichter einstechen. Sonst verbiegt sich das Papier.

4 Das Auffädeln bei den übrigen 3 Armen wiederholen. Dann die Arme oben zusammenführen und mit einem festen Doppelknoten verbinden.

5 Die Konstruktion anheben und prüfen, ob der *Pająk* gut ausbalanciert ist (der Reif sollte waagerecht hängen). Wenn nicht, einen Knoten nach dem anderen lösen und die Länge der Arme korrigieren. Erneut verknoten. Die Struktur aufhängen um die unteren Teilen zu arbeiten.

Untere Arme

6 Vom Baumwollgarn 4 Fäden abschneiden (je 60 cm lang). Einen ersten Faden an einem Punkt anknoten, an dem einer der oberen Arme befestigt ist. Mit einem Doppelknoten fixieren.

7 Das lose Fadenende in das Öhr einer 6-cm-Nähnadel einfädeln. 1 langen Stroh-Zuschnitt, 7 kurze Stroh-Zuschnitte, dann 1 weiteren langen Stroh-Zuschnitt auffädeln (dazwischen 8 Tonpapier-Kreise).

Tipp: Zwischen Reif und langen Stroh-Zuschnitten etwas Platz lassen, damit die Arme frei baumeln können.

8 Das lose Ende des Arms an dem Punkt um den Reif wickeln, an dem der nächste obere Arm befestigt ist, mit 2 Knoten fixieren. Die restlichen 3 Arme ebenso verzieren und anbringen.

Pompons

9 Vom Baumwollgarn 1 Faden (60 cm) abschneiden, in das Öhr einer 6-cm-Nähnadel einfädeln, mittig doppelt nehmen und an den Enden mit einem Doppelknoten verbinden. Die Nadel 2-mal durch den oberen Knoten der *Pająk*-Struktur führen, sodass der Doppelfaden fest mit dem Armknoten verbunden ist.

10 Das Set (aus 15 Lagen) des roten Kalinka-Pompons mittig durchstechen und die Lagen auf die Nadel schieben, dabei alternierend die Ausrichtung der Blütenblätter ändern (eines nach oben, eines nach unten). Die Lagen auf den Faden hinunterschieben, um den Pompon zu formen. 1 kleines Quadrat aus mehreren Lagen Seidenpapier ausschneiden, mithilfe der Nadel auffädeln und als Stopper ins Innere des Pompons schieben.

11 Vom Textilband 1 Stück abschneiden (25 cm), es mittig doppelt nehmen und die Enden unten mit einem Knoten zusammenbinden, um eine Schlaufe zu bilden. Einen der Fäden aus dem Pompon durch die Schlaufe führen und mit dem anderen Faden mit einem festen Doppelknoten verbinden, um das Band im Inneren des Pompons zu sichern. Überschüssige Fadenenden abschneiden.

12 Die 4 fertigen fuchsiafarbenen Kalinka-Pompons mithilfe ihrer Garnfäden fest am Reif zwischen unteren und oberen Armen befestigen. Hierfür jeweils ein Fadenende aus dem Pompon oberhalb des Reifs und eines unterhalb des Reifs positionieren, sie fest zusammenziehen und mit einem Doppelknoten sichern. Überschüssige Fadenenden abschneiden.

13 Gegebenenfalls die unteren Arme so verschieben, dass ihre Knoten innerhalb der Pompons sitzen. Alle Pompons aufplustern und so am Reif platzieren, dass die Armansätze von den Pompons verdeckt werden.

10

SONNIGER PAJĄK

Dieser *Pająk* hat eine ungewöhnliche Form – er erinnert mich an eine alte Kirchenglocke. Leider ist dieses Design heutzutage nicht mehr sehr verbreitet. Ich habe es nur ein einziges Mal realiter gesehen, ansonsten nur beim Durchblättern alter Bücher. Ich würde das Design gerne am Leben erhalten, deshalb stelle ich hier meine eigene Version vor.

Höhe 95 cm • **Breite** 50 cm

Das wird benötigt

Roggen- oder Papierstroh
Lineal
Schere
Zirkel
3-cm-Kreisstanzer (optional)
Tonpapier in Pfirsich
Bleistift
Seidenpapier in Orange, Pfirsich, Koralle und Gelb
6-cm-Nähnadel
Baumwollgarn
Alufolie
2 Metallreifen, je 35 cm Durchmesser
Krepp-Papier in Beige und Gelb
Kleber
Textilband, 5 mm breit

Das ist vorzubereiten

Stroh-Zuschnitte:
120 kurze (6 cm)
12 lange (10 cm)

Einfache Tonpapier-Kreise (Seite 33):
93 in Pfirsich (3 cm)

Sets aus je 15 losen Lagen für Kalinka-Pompons (Seite 36):
1 in Gelb (8 cm)
12 in Koralle (12 cm)

Fertige Kalinka-Pompons (Seite 36)
12 in Orange (10 cm)
12 in Pfirsich (10 cm)

Struktur des PAJĄK

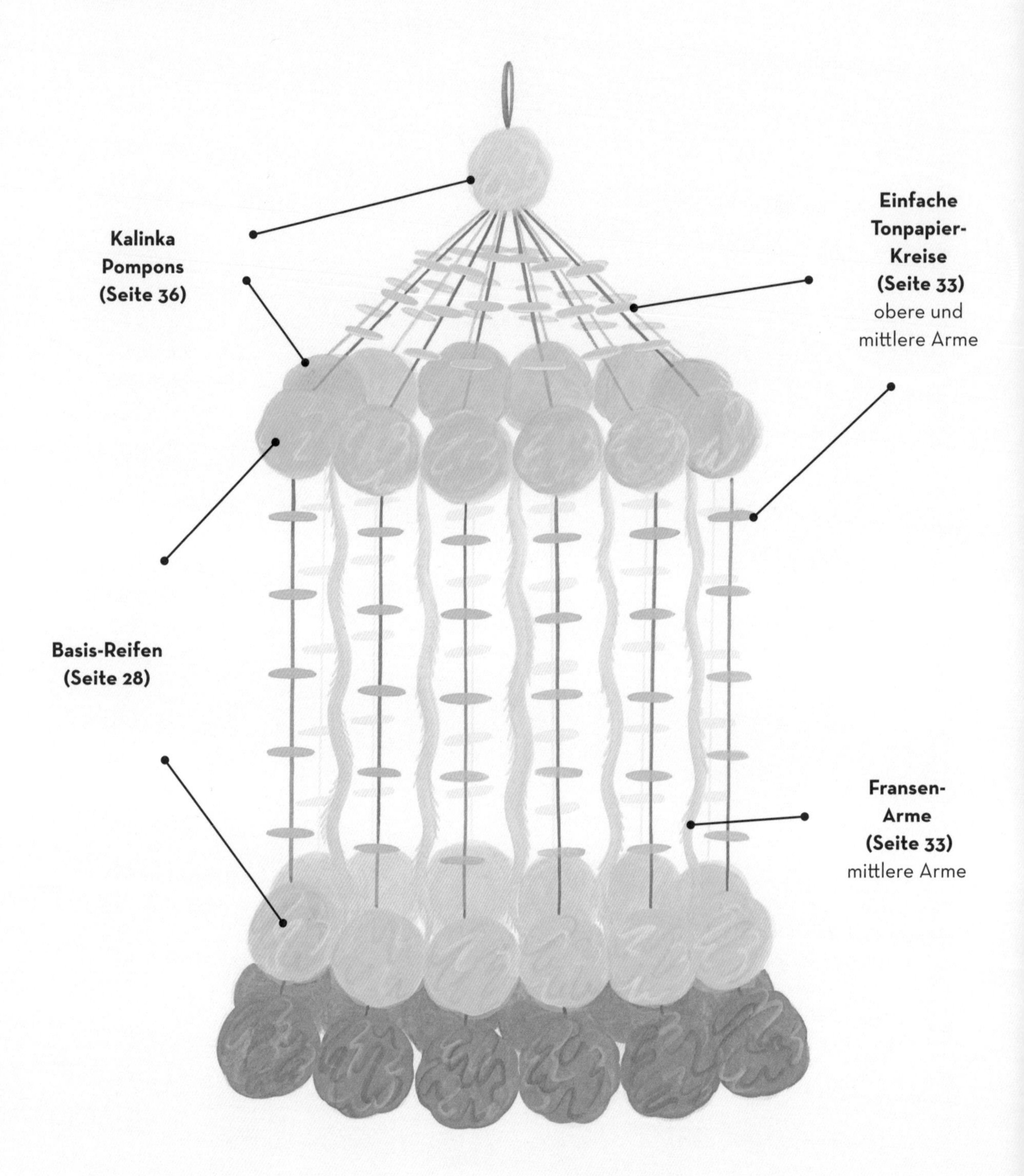

1 Beide Reifen mit Krepp-Papier umwickeln (Seite 28).

Obere Arme

2 Vom Baumwollgarn 12 Fäden (je 50 cm) abschneiden. Diese symmetrisch an einem der Reifen anbinden. Hierfür zuerst 4 Fäden an den Viertelpunkten befestigen und dann 2 weitere in jeder Lücke in gleichem Abstand hinzufügen. Ein erstes loses Fadenende in das Öhr einer 6-cm-Nähnadel einfädeln und 4 kurze Stroh-Zuschnitte auffädeln (mit 3 Tonpapier-Kreisen dazwischen). Die restlichen 11 Arme auf die gleiche Weise verzieren.

3 Alle Fäden am oberen Ende zusammenführen und mit einem Doppelknoten verbinden. Das Gebilde aufhängen und prüfen, ob es gerade ausbalanciert ist. Wenn nicht, den Knoten lösen und die Armlängen anpassen.

Oberer Pompon

4 Die 15 losen Lagen für den 8 cm großen gelben Kalinka Pompon übereinanderlegen. Vom Baumwollgarn 1 Faden (30 cm) abschneiden, ihn in das Öhr einer 6-cm-Nähnadel einfädeln und die Enden mit einem Doppelknoten verbinden. Die Nadel 2-mal durch den oberen Knoten der oberen Arme führen, damit der Doppelfaden sicher befestigt ist.

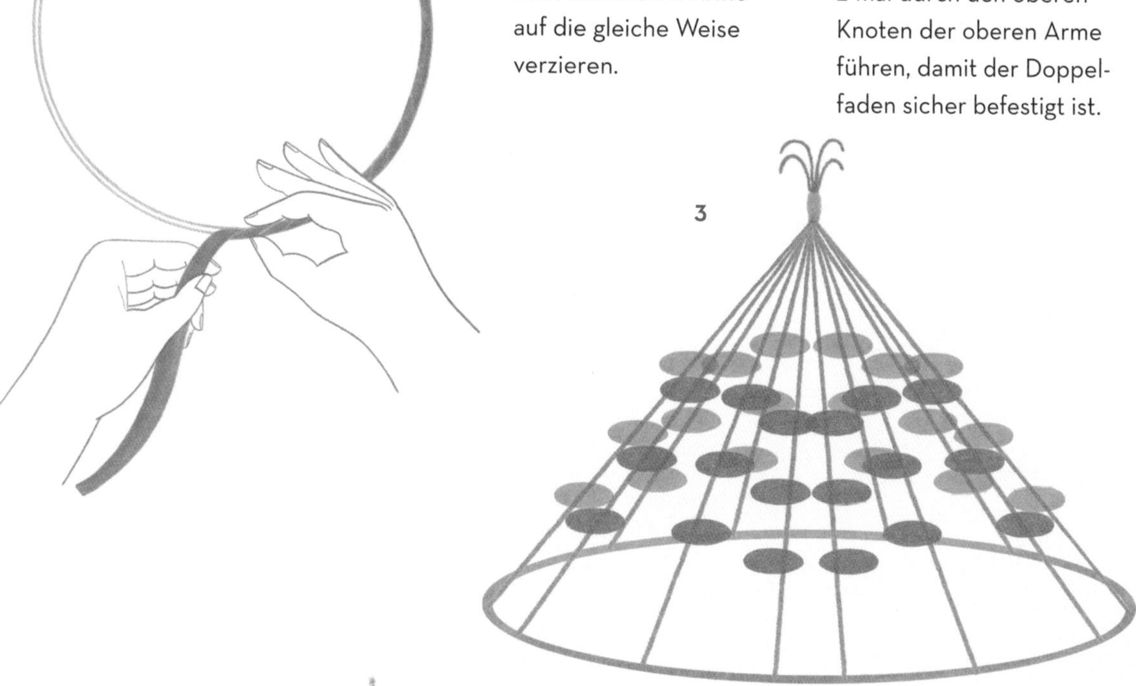

5 Die losen gelben Kalinka-Lagen mittig durchstechen und auf die Nadel schieben, dabei die Ausrichtung der Blütenblätter jedes Mal ändern (einmal nach oben, einmal nach unten). Die Lagen bis zum Knoten hinunterschieben. 1 kleines Quadrat Seidenpapier (7 mm) aus etwa 8 Lagen ausschneiden. Die Lagen mittig mit der Nadel durchstechen und in das Innere des Pompons schieben. Die Nadel abschneiden und die Fadenenden mit einem Doppelknoten fixieren.

6 Vom Textilband 1 ein Stück (25 cm) abschneiden, mittig doppelt nehmen und die Enden unten mit Doppelknoten zusammenknoten, um eine Schlaufe zu bilden. Die Schlaufe mit den Fäden aus der Mitte des Pompons festbinden. Überschüssige Fadenenden abschneiden.

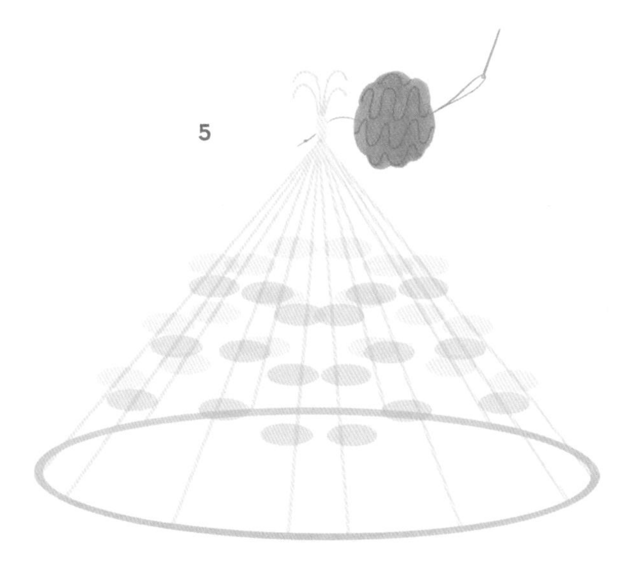

Mittlere Arme

7 Vom Baumwollgarn 12 Fäden (je 60 cm) abschneiden und an den Stellen befestigen, an denen bereits die oberen Arme am Reif angebunden sind.

8 Den zweiten umwickelten Reif vorbereiten. Mit Bleistift 4 symmetrische Markierungen auf dem Reif an den Viertelpunkten anbringen und dann 2 weitere in jeder Lücke in gleichem Abstand hinzufügen, sodass insgesamt 12 Markierungen entstehen, die mit den Stellen übereinstimmen, an denen die Arme auf dem anderen Reif befestigt sind.

9 Mit dem Auffädeln eines ersten mittleren Arms beginnen. Hierfür 6 kurze Stroh-Zuschnitte auffädeln (mit 5 Tonpapier-Kreisen dazwischen). Der zweite Reif muss an den mittleren Armen befestigt werden. Ich empfehle, zuerst 4 gegenüberliegende Arme aufzufädeln (die an den Viertelpunkten) und dann den zweiten Reif an diesen 4 Armen zu befestigen.

Tipp: Um zu verhindern, dass die Stroh-Zuschnitte von den Fäden rutschen, während man an den anderen Armen arbeitet, kann man die Enden vorübergehend locker an den oberen Reif binden.

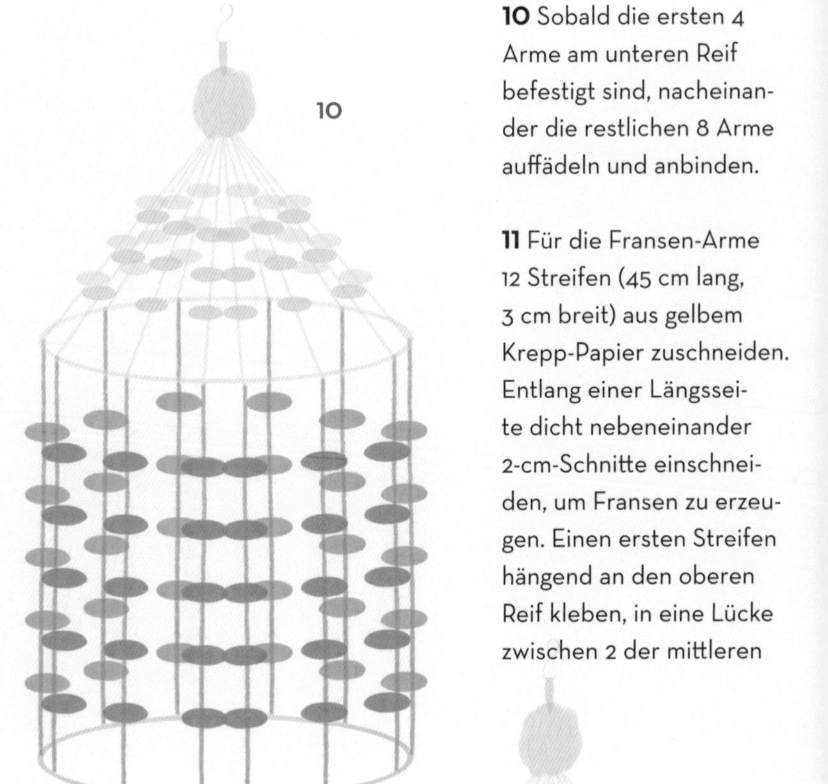

10 Sobald die ersten 4 Arme am unteren Reif befestigt sind, nacheinander die restlichen 8 Arme auffädeln und anbinden.

11 Für die Fransen-Arme 12 Streifen (45 cm lang, 3 cm breit) aus gelbem Krepp-Papier zuschneiden. Entlang einer Längsseite dicht nebeneinander 2-cm-Schnitte einschneiden, um Fransen zu erzeugen. Einen ersten Streifen hängend an den oberen Reif kleben, in eine Lücke zwischen 2 der mittleren

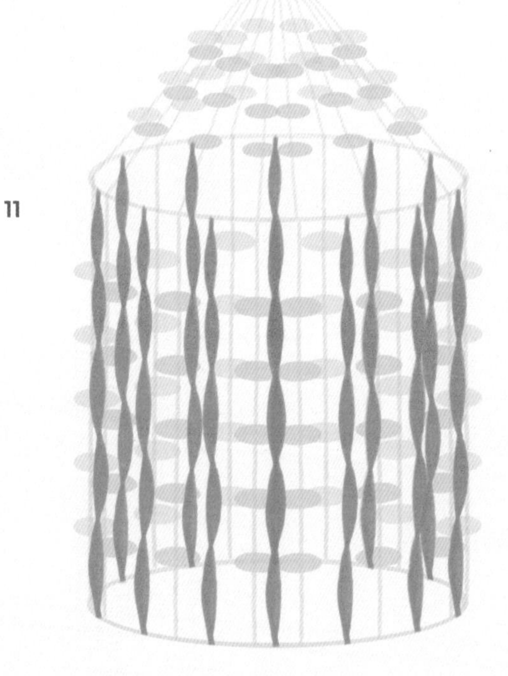

Fadenarme. Den Streifen 5-mal um sich selbst drehen und sein unteres Ende am unteren Reif festkleben.

Die restlichen Fransen-Arme ebenso anbringen. Überschüssiges Papier gegebenenfalls abschneiden.

Untere Pompons

12 Ein erstes Set (aus 15 der Lagen) für die korallfarbenen Kalinka-Pompons mit der Nadel auf 1 Faden Baumwollgarn (30 cm) fädeln, an das untere Ende einen Knoten binden und um diesen etwas Alufolie wickeln. 1 weiteres kleines quadratisches Stück Alufolie (7 mm) ausschneiden, um den Faden wickeln, in den Pompon schieben, damit dieser seine Form behält. 1 langen Stroh-Zuschnitt auffädeln und den Faden an einer Stelle an den unteren Reif binden, wo auch einer der mittleren Arme befestigt ist. Die Lagen für die 11 restlichen korallfarbenen Pompons auf die gleiche Weise auffädeln und befestigen.

Mittlere Pompons

13 Die fertigen orange- und pfirsischfarbenen Kalinka-Pompons wie gezeigt an den Stellen an beiden Reifen anbringen, an denen auch die Arme befestigt sind. Ich habe für jeden Reif eine Farbe verwendet. Zum Anbinden je einen der Pomponfäden über den Reif schlagen und den anderen darunter hindurchführen, die Fäden fest zusammenziehen und mit einem Doppelknoten verbinden. Überschüssige Fadenenden abschneiden.

12

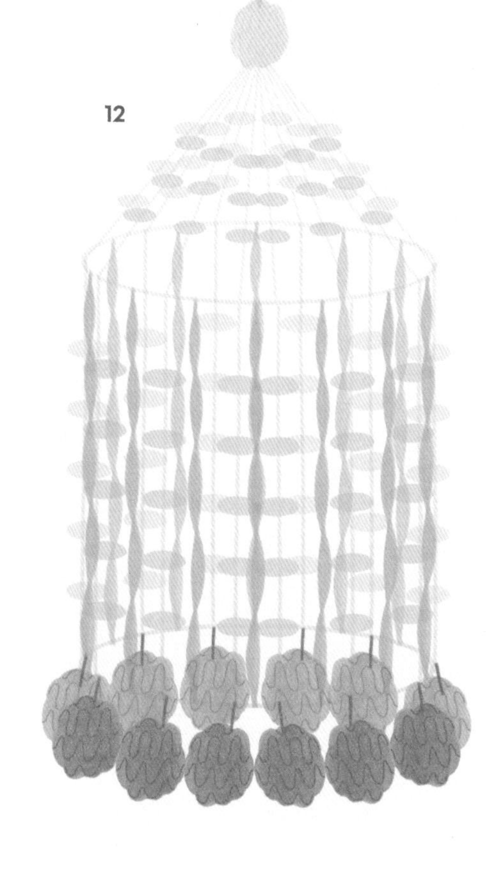

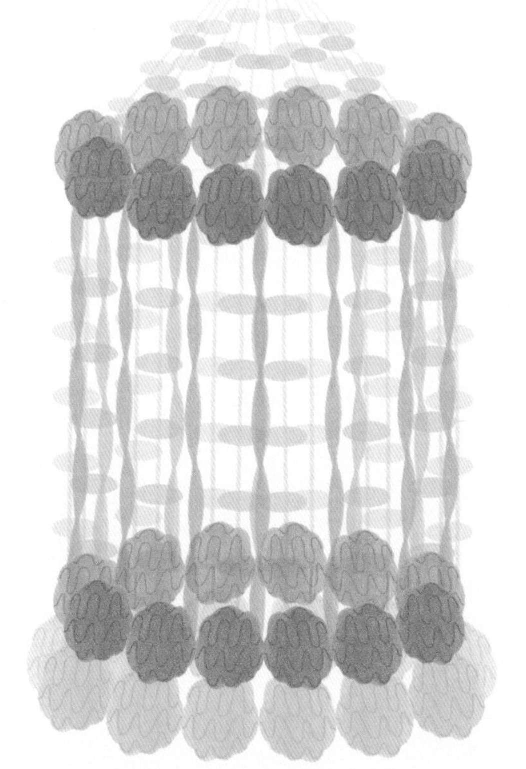

13

+ Helena +

Ich wurde in Lublin, im östlichen Teil Polens, geboren. Am Rande der Stadt, in der Nähe meines Wohnorts, befindet sich das Freilichtmuseum des Dorfes.

Ich erinnere mich an meinen ersten Besuch in diesem Museum mit seinen wunderschönen Original-Holzhäusern mit erstaunlicher Innenausstattung und dekorativen Objekten. Hier habe ich meinen ersten *Pająk* gesehen. Diese einzigartige, farbenfrohe Dekoration hing über einem Tisch in einem der weiß getünchten Räume.

Viele Jahre später hatte ich das Vergnügen, die Frau hinter den wunderschönen *Pająki* im Museum kennenzulernen.

Helena Półtorak ist eine echte *Pająki*-Expertin. Sie wurde ebenfalls in Lublin geboren und hat fast ihr ganzes Leben lang die hübschen Mobiles angefertigt. Sie lernte das Handwerk von ihrer Mutter und verfeinerte ihre Kenntnisse und Fähigkeiten bei ihrer Arbeit im Freilichtmuseum.

Die Anzahl der verschiedenen *Pająki*-Designs, die Helena hergestellt hat, ist bemerkenswert. Die Durchsicht ihres Fotoarchivs war für mich eine inspirierende und unvergessliche Lektion. Sie erinnert sich an eine sehr alte Art von kugelförmigem *Pająk*, bei dem lange Roggenstroh-Zuschnitte mit Blumen verziert in eine Teigkugel gesteckt und dann aufgehängt wurden.

Helena war auch sehr geschickt in der Anfertigung einer Reihe von geometrischen und blumigen Mobiles. Sie brachte mir bei, wie man Papier zu winzigen Blumen faltet, die sich perfekt für geometrische *Pająki* eignen, und wie man Papier zu schmuckvollen Girlanden eindreht. Sie war es auch, die mich in die kleinen *Pająki*-Weihnachtsdekorationen einführte. So etwas hatte ich noch nie gesehen. Hergestellt aus Papier, Roggenstroh und verschiedenen Arten von Perlen, sind dies Miniatur-Versionen von größeren *Pająki*. Helena erinnert sich daran, dass diese Dekoration früher an Weihnachten ein Muss war, heute aber leider fast vergessen ist.

Helena hat früher auch gerne anderen traditionellen Weihnachtsschmuck angefertigt, wie etwa Engel aus Papier. Heute hat sie aus gesundheitlichen Gründen mit der Herstellung aufgehört. Ich bin sehr froh, dass ich ihre Entwürfe in mein Buch aufnehmen kann, damit sie nicht verloren gehen.

GEOMETRISCHER PAJĄK

Ich möchte dieses Mobile Helena widmen. Im Laufe ihres Lebens hat sie so viele *Pająki* geschaffen, und sie hat ihr Wissen großzügig mit mir geteilt, darunter auch, wie man zauberhafte Papiernelken herstellt. Dieses Design ist aus kleineren geometrischen Modulen aufgebaut. Sobald man weiß, wie die Grundstruktur funktioniert, kann man weitere Einheiten hinzufügen und das Mobile ziemlich spektakulär machen!

Länge 50 cm • **Breite** 50 cm

Das wird benötigt

Roggen- oder Papierstroh
Stecknadeln
Lineal
Schere
Seidenpapier in Pfirsich und Blaugrün
Zirkel
Bleistift
6-cm-Nähnadel
Baumwollgarn
Alufolie
dünne Leichtschaumplatte (etwa 50 x 50 cm)
2 lange dünne Stöcke (optional)

Das ist vorzubereiten

Stroh-Zuschnitte:
60 lange (15 cm)
48 mittellange (10 cm)
4 kurze (7 cm)

Fertige Nelkenblüten (Seite 60):
16 in Pfirsich (5 cm)
16 in Blaugrün (5 cm)

Tipp: Ich habe 2 Farben für die Nelken in meinem *Pająk* verwendet – Pfirsich für die Hauptstruktur oben und Blaugrün für die unteren Module. Man kann aber beliebig viele Farben einsetzen.

Struktur des PAJĄK

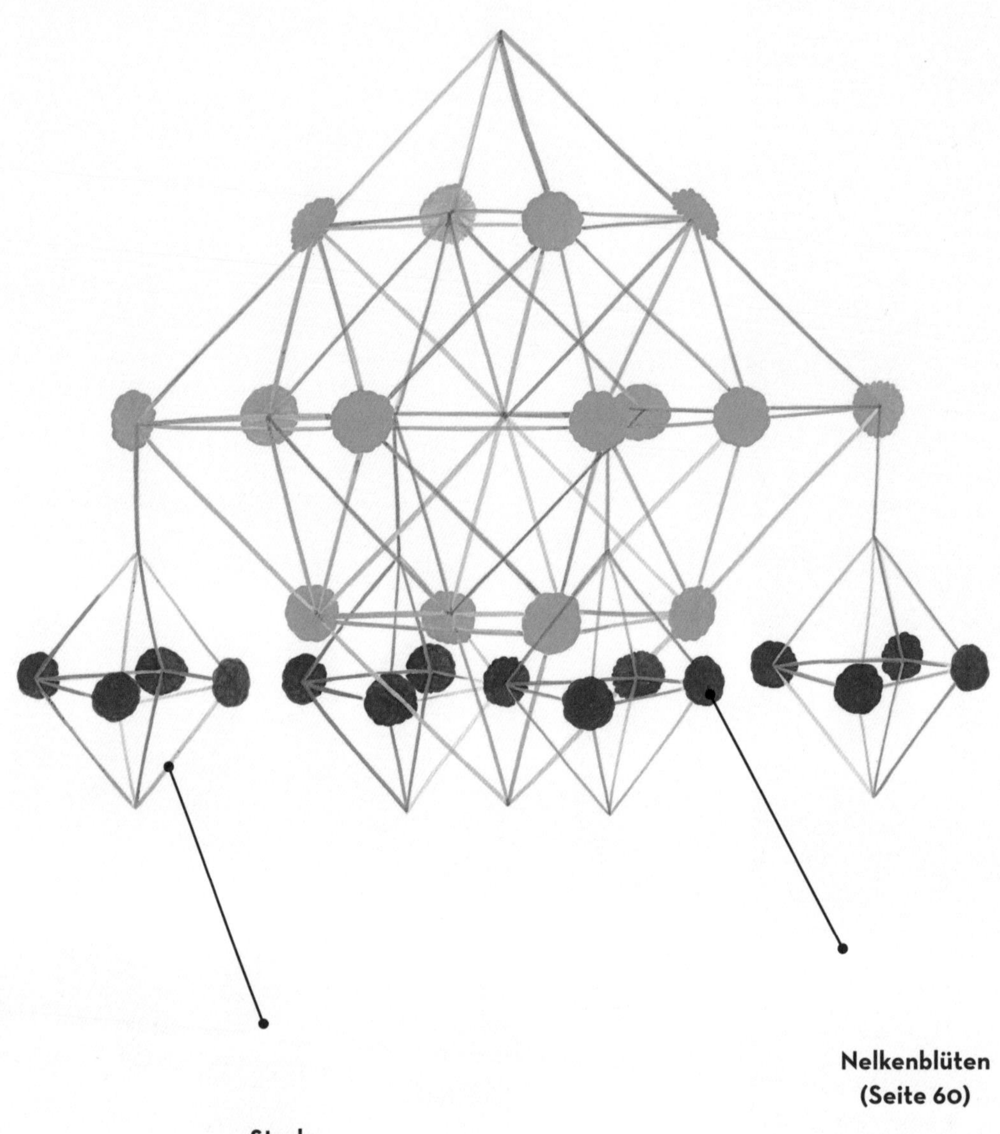

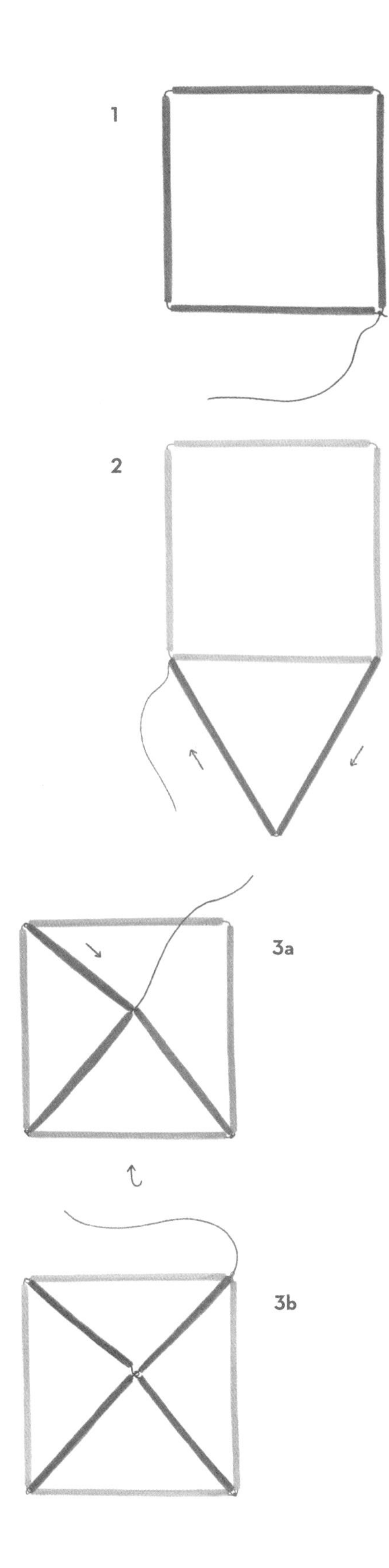

Erste Ebene

1 Die erste Ebene, bestehend aus 4 Pyramiden, wird nur aus langen (15 cm) Stroh-Zuschnitten hergestellt. Hierfür vom Baumwollgarn 1 Stück (1 m) abschneiden und durch das Öhr einer 6-cm-Nähnadel fädeln. 4 lange Stroh-Zuschnitte auffädeln, sie zu einem Quadrat auslegen und wie gezeigt in einer Ecke einen Knoten binden. Jede Ecke mit Stecknadeln auf der Schaumstoffplatte fixieren, damit sich die nächsten Pyramidenelemente leichter herstellen lassen.

2 Beginnend mit der unteren rechten Ecke des Quadrats (wo sich der Knoten befindet), 2 weitere lange 15-cm-Stroh-Zuschnitte auffädeln, sodass ein Dreieck entsteht. Die Nadel unter dem Faden in der linken unteren Ecke hindurchführen und einen Knoten binden, damit das Dreieck gesichert ist.

3 Vom Garn 1 weiteren Faden (40 cm) abschneiden und an der oberen linken Ecke anbringen. Das lose Ende in das Nadelöhr einfädeln. 1 langen 15-cm-Stroh-Zuschnitt auffädeln, das Dreieck von der anderen Seite anheben (den Faden unter die Spitze des Dreiecks gezogen, damit es aufrecht bleibt). Oben einen Knoten binden. Den nächsten 15-cm-Stroh-Zuschnitt auffädeln, den Faden unter den Faden in der rechten oberen Ecke ziehen und einen Knoten binden. Dies ist das erste Pyramidenmodul.

4 Den überschüssigen Faden von der ersten Pyramide nutzen, um 3 weitere 15-cm-Stroh-Zuschnitte aufzufädeln und 1 weiteres Quadrat mit Pyramide darauf zu bilden. Falls der Faden ausgeht, 1 weiteres Stück anbinden.

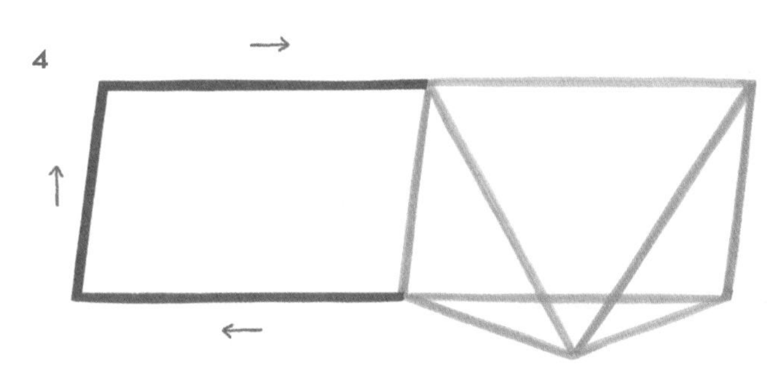

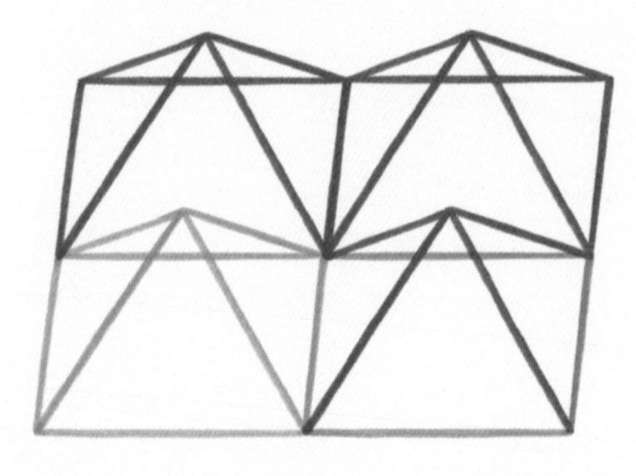

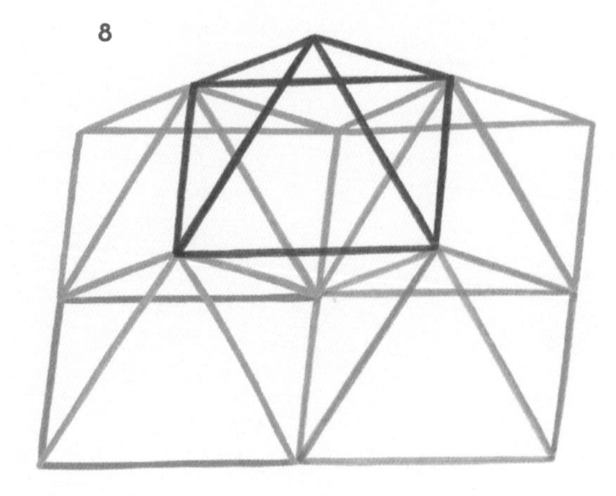

5 Auf die gleiche Weise insgesamt 4 Pyramiden für die erste Ebene herstellen.

Oberste Pyramide

6 Als nächstes Modul wird die oberste Pyramide angefertigt. Hierfür 1 Faden Baumwollgarn (80 cm) in das Öhr der Nadel einfädeln und 1 ersten 15-cm-Stroh-Zuschnitt auffädeln, um den ersten Balken einer quadratischen Basis für die oberste Pyramide zu schaffen.

7 Den Stroh-Zuschnitt quer von einer Pyramidenspitze zur anderen (oben rechts) legen, den Faden unter den Spitzen hindurchführen und mit Knoten fixieren, um die unteren Pyramiden und den neuen Strohhalm zu verbinden. 3 weitere 15-cm-Stroh-Zuschnitte auffädeln, quer zwischen den übrigen Spitzen der unteren Pyramiden positionieren und fixieren.

8 Dann die Spitze der Pyramide auf die gleiche Weise wie die der unteren Pyramiden herstellen. 1 Faden Garn (40 cm) an der unteren rechten Ecke der Basis befestigen, das lose Ende in das Nadelöhr einfädeln und 2 weitere 15-mm-Stroh-Zuschnitte zu einem Dreieck auffädeln. Den Faden in der unteren linken Ecke verknoten. 1 zweiten Faden (40 cm) an der gegenüberliegenden rechten oberen Ecke anknoten und 1 langen 15-cm-Stroh-Zuschnitt auffädeln. Das Garn unter der Spitze des gegenüberliegenden Dreiecks hindurchführen und mit einem Knoten sichern, damit es aufrecht bleibt. 1 weiteren 15-cm-Stroh-Zuschnitt auffädeln und an der oberen linken Ecke festbinden. Die obere Einheit des *Pająk* ist nun fertig.

Gespiegelte Einheit

9 Nun wird diese obere Einheit umgedreht und im Prinzip noch einmal angefertigt, um die Struktur

9

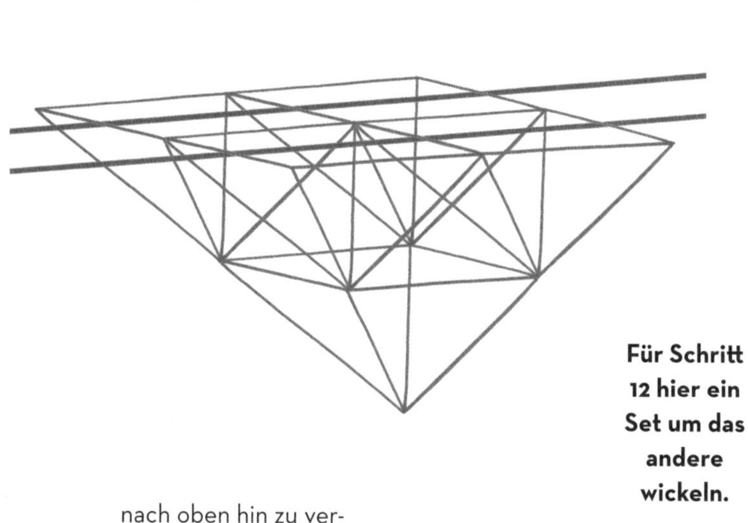

11

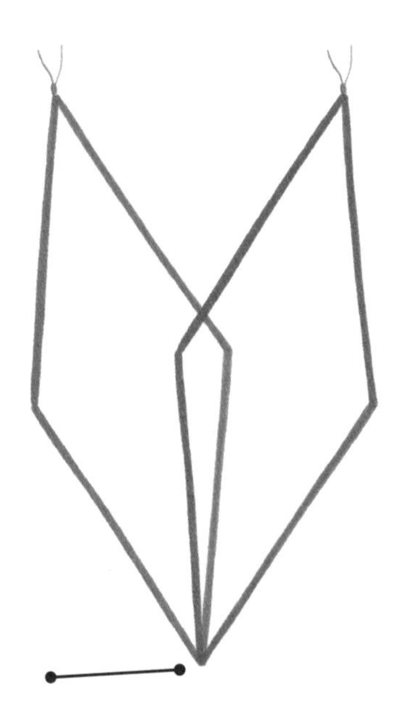

Für Schritt 12 hier ein Set um das andere wickeln.

nach oben hin zu vervollständigen. Die Stecknadeln entfernen, damit man die Konstruktion leicht verschieben kann. Die beste Art, den *Pająk* fertigzustellen, ist, die Einheit kopfüber an zwei langen Stöcken befestigt zwischen zwei Stühle oder Bücherstapel zu legen, damit man bequem an der oberen Struktur arbeiten kann.

10 Den Schritten 2–8 folgen, um der Struktur eine spiegelverkehrte Einheit hinzuzufügen. Sobald die gesamte Struktur fertig ist, 1 Faden (20 cm) vom Baumwollgarn abschneiden, mittig doppelt nehmen, um eine Schlaufe zu bilden, und diese an der Spitze des *Pająk* befestigen. Einen Doppelknoten binden und den *Pająk* aufhängen.

Untere Module

11 Nun gilt es, 4 kleinere Rauten-Module herzustellen, die zuletzt an den 4 Ecken der Haupteinheit befestigt werden. Verwendet werden hierfür mittellange 10-cm-Stroh-Zuschnitte. Jede Rautenform wird aus 12 Stücken hergestellt. Vom Baumwollgarn einen 50 cm langen Faden abschneiden und 4 Stroh-Zuschnitte auffädeln. In der Hälfte falten und die Enden mit einen Doppelknoten verbinden. Den Vorgang mit einem weiteren Satz von 4 Stroh-Zuschnitten wiederholen. Vor dem Verknoten des zweiten Stroh-Zuschnitts den Faden mit dem zuvor vorbereiteten Stroh-Zuschnitt-Set umwickeln, sodass sie unten verbunden sind. Oben einen Doppelknoten binden.

12 Die beiden Stroh-Sets mit den Knoten nach oben zusammenlegen. Die Stroh-Zuschnitte sind auf 8 Fäden aufgeteilt, wobei sich an jedem Faden zwei Stroh-Zuschnitte befinden.

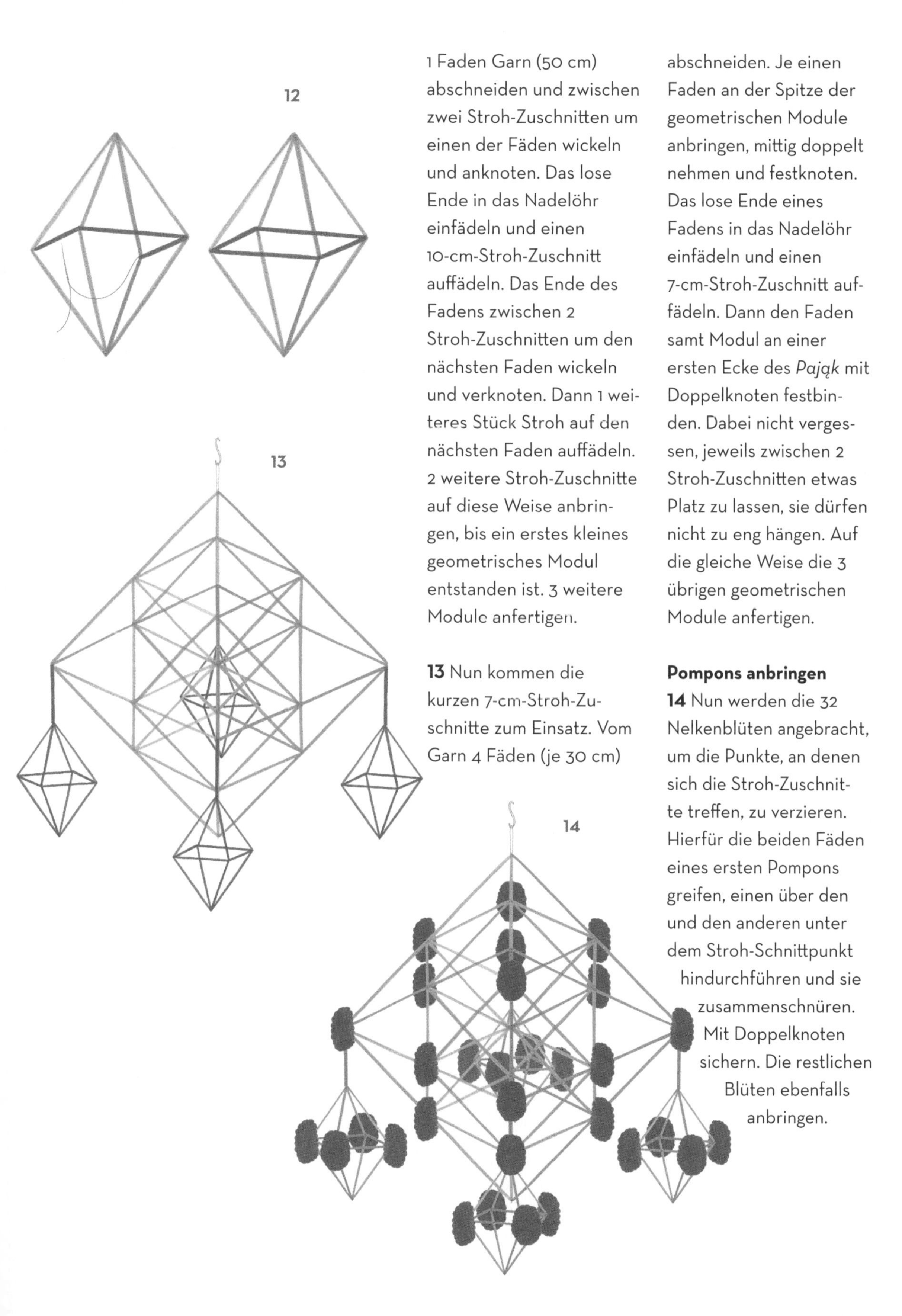

1 Faden Garn (50 cm) abschneiden und zwischen zwei Stroh-Zuschnitten um einen der Fäden wickeln und anknoten. Das lose Ende in das Nadelöhr einfädeln und einen 10-cm-Stroh-Zuschnitt auffädeln. Das Ende des Fadens zwischen 2 Stroh-Zuschnitten um den nächsten Faden wickeln und verknoten. Dann 1 weiteres Stück Stroh auf den nächsten Faden auffädeln. 2 weitere Stroh-Zuschnitte auf diese Weise anbringen, bis ein erstes kleines geometrisches Modul entstanden ist. 3 weitere Module anfertigen.

13 Nun kommen die kurzen 7-cm-Stroh-Zuschnitte zum Einsatz. Vom Garn 4 Fäden (je 30 cm) abschneiden. Je einen Faden an der Spitze der geometrischen Module anbringen, mittig doppelt nehmen und festknoten. Das lose Ende eines Fadens in das Nadelöhr einfädeln und einen 7-cm-Stroh-Zuschnitt auffädeln. Dann den Faden samt Modul an einer ersten Ecke des *Pająk* mit Doppelknoten festbinden. Dabei nicht vergessen, jeweils zwischen 2 Stroh-Zuschnitten etwas Platz zu lassen, sie dürfen nicht zu eng hängen. Auf die gleiche Weise die 3 übrigen geometrischen Module anfertigen.

Pompons anbringen

14 Nun werden die 32 Nelkenblüten angebracht, um die Punkte, an denen sich die Stroh-Zuschnitte treffen, zu verzieren. Hierfür die beiden Fäden eines ersten Pompons greifen, einen über den und den anderen unter dem Stroh-Schnittpunkt hindurchführen und sie zusammenschnüren. Mit Doppelknoten sichern. Die restlichen Blüten ebenfalls anbringen.

PAJĄK IN LILA

Wer sich in der *Pająk*-Herstellung schon sicher fühlt, kann sich an dieser anspruchsvolleren Version des Kalinka-*Pająk* versuchen (Seite 68). Ich liebe es, mich von der Modewelt inspirieren zu lassen, und die Farbkombinationen der Frühjahr-Sommer-Kollektion 2017 von Balenciaga hatten es mir angetan.

Länge 80 cm • **Breite** 45 cm

Das wird benötigt

Roggen- oder Papierstroh
Lineal
Schere
3-cm-Kreisstanzer (optional)
Zirkel
Bleistift
Tonpapier in Blau und Violett
Seidenpapier in Blau, Violett und Braun
2 lange 6-cm-Nähnadeln
Baumwollgarn
Alufolie
Metallreif, 35 cm Durchmesser
Krepp-Papier in Blau
Kleber
Textilband, 5 mm breit

Das ist vorzubereiten

Stroh-Zuschnitte:
159 kurze (3 cm)
59 mittellange (6 cm)
4 lange (8 cm)

Einfache Tonpapier-Kreise (Seite 33):
212 in Blau, Violett und Braun (3 cm)

Sets aus je 15 losen Lagen für Kalinka-Pompons (Seite 36):
3 in Blau (10 cm)
4 in Braun (10 cm)

Fertige Kalinka-Pompons (Seite 36):
4 in Violett (10 cm)

Struktur des PAJĄK

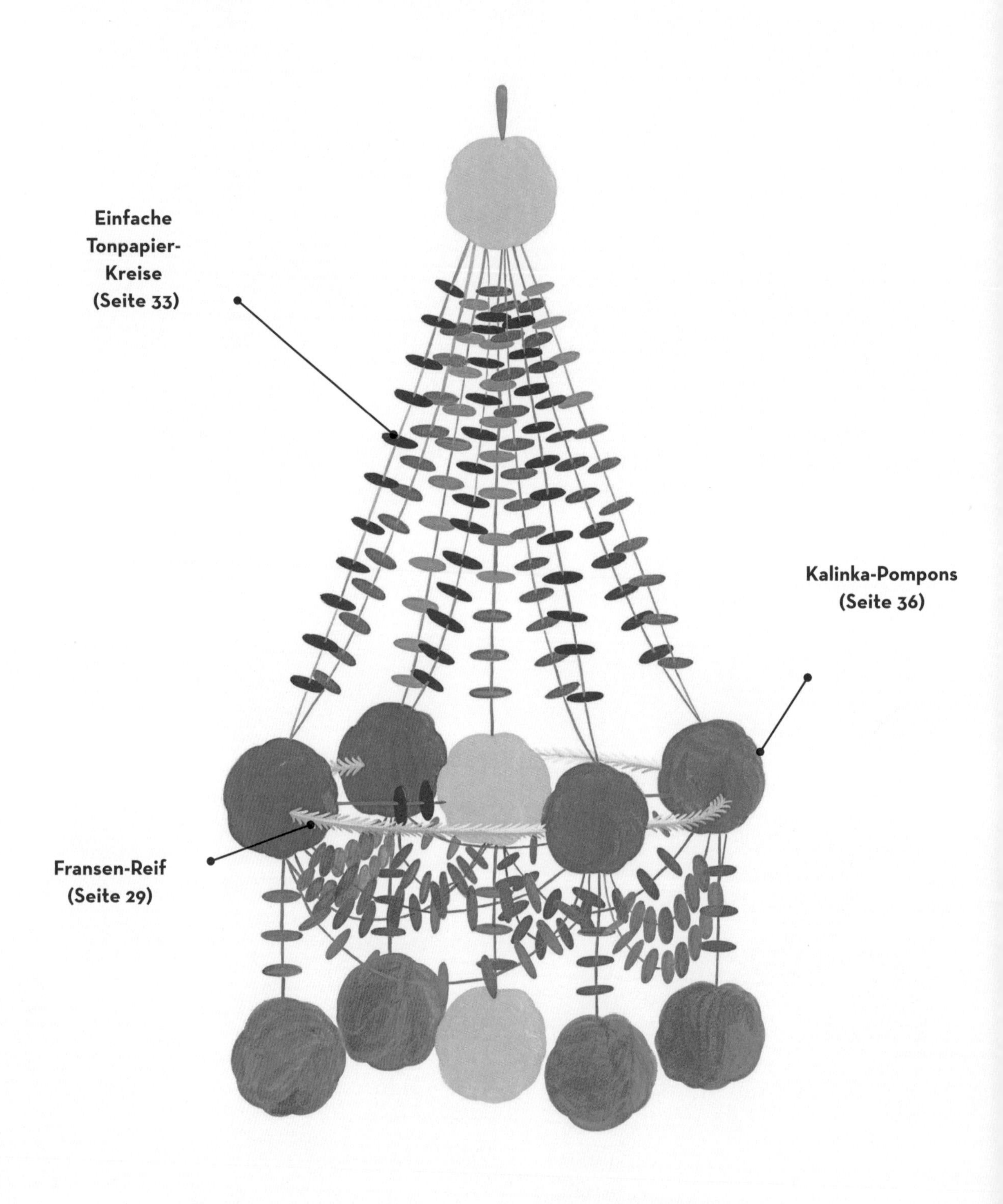

1 Den Reif mit blauem Krepp-Papier fransenartig (Seite 29) umwickeln.

Gekreuzte Arme

2 Vom Baumwollgarn 4 Fäden (je 30 cm) abschneiden. Sie jeweils mit einem Ende an den Viertelpunkten des Fransen-Reifs mittels Doppelknoten befestigen. 1 ersten Faden ins Nadelöhr einfädeln und 1 mittellangen, 1 kurzen und dann 1 langen Stroh-Zuschnitt auffädeln (dazwischen 3 Tonpapier-Kreise). Den Vorgang mit dem gegenüberliegenden Faden wiederholen und ihn in der Mitte mittels Knoten mit dem ersten Faden verbinden. Die anderen Arme ebenso gestalten und alle in der Mitte des Reifs verbinden.

Innere obere Arme

3 Vom Baumwollgarn 4 Fäden (je 80 cm) abschneiden und an dem umwickelten Reif an den Punkten befestigen, an denen die gekreuzten Arme angebracht sind. Auf jeden Faden 1 langen, 11 kurze und zum Schluss 1 mittellangen Stroh-Zuschnitt (6 cm) fädeln (mit 12 Tonpapier-Kreisen dazwischen).

4 Den Vorgang für die restlichen 3 Arme wiederholen. Die Arme oben mit einem Knoten zusammenbinden. Oberhalb der gekreuzten Arme positionieren.

Äußere obere Arme

5 Vom Baumwollgarn 4 Fäden (je 70 cm) abschneiden und am Reif an den gleichen Stellen wie die anderen Arme befestigen. Jeweils 1 mittellangen Stroh-Zuschnitt, 10 kurze Stroh-Zuschnitte und zum Schluss 1 weiteren mittellangen Stroh-Zuschnitt auffädeln (dazwischen 11 Tonpapier-Kreise).

6 Die sich jeweils gegenüberliegenden Arme

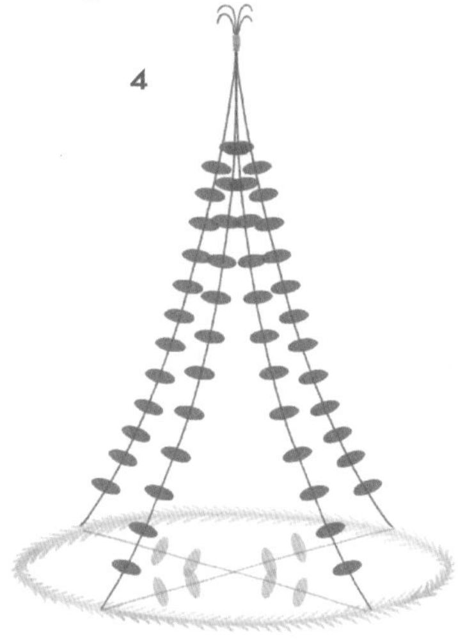
4

zusammenknoten. Vorübergehend ein Band an der Struktur befestigen und den *Pająk* aufhängen, um zu prüfen, ob

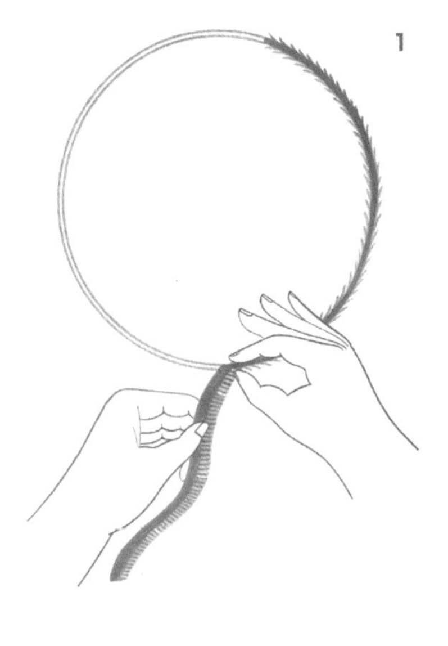
1

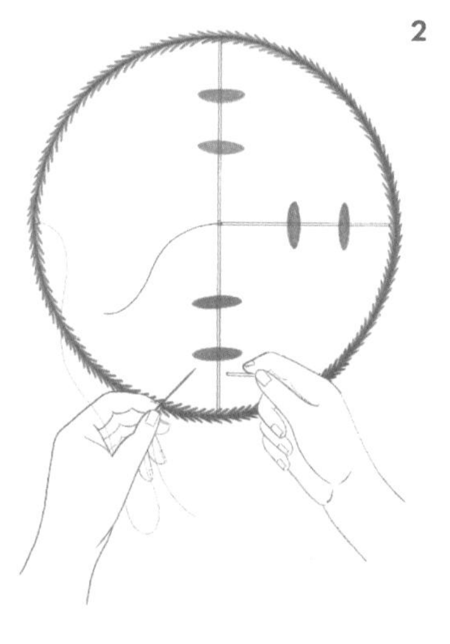
2

6

er gerade hängt. Hängend lassen sich außerdem die unteren Teile des Mobiles einfacher arbeiten.

Mittlerer Arm

7 Die losen Lagen der 3 Sets für die blauen Kalinka-Pompons bereitlegen. 1 sehr langes Stück Garn abschneiden (etwa 1,8 m), in das Öhr einer 6-cm-Nähnadel einfädeln, mittig doppelt nehmen und unten mit einem Doppelknoten verknoten. 1 Quadrat (2 cm) aus Alufolie ausschneiden und so um den Knoten wickeln, dass ein mandelförmiger Stopper entsteht.

8 Die Nadel mittig durch das erste Set Seidenpapier (aus 15 Lagen) stechen, dabei alternierend die Ausrichtung der Blütenblätter ändern (eines nach oben, eines nach unten), dann die Lagen am Faden hinunterschieben. 1 kleines Stück Alufolie (7 mm) abschneiden, um den Faden zu einer Kugel zu knüllen, es dann in die Mitte des Pompons schieben und zusammendrücken, damit der Pompon in Form bleibt.

9 Nun 1 mittellangen Stroh-Zuschnitt, 2 kurze Stroh-Zuschnitte und 1 weiteren mittellangen Stroh-Zuschnitt auffädeln (dazwischen jeweils 1 Tonpapier-Kreis).

10 Weitere 7 Lagen Seidenpapier auffädeln, dabei die Ausrichtung der Blütenblätter erneut alternieren. Die Nadel 2-mal durch den Mittelknoten der gekreuzten Arme führen, damit der mittlere Arm an seinem Platz bleibt. Die Nadel noch nicht abschneiden, sondern hängen lassen.

Untere baumelnde innere Arme

11 Vom Baumwollgarn 4 Fäden (je 70 cm) abschneiden. Ein Ende jedes Fadens an den Punkten am Reif anbringen, an denen auch die anderen Arme befestigt sind. Auf jeden Faden mit der zweiten 6-cm-Nähnadel 1 mittellangen Stroh-Zuschnitt auffädeln, dann 6 kurze Stroh-Zuschnitte und zum Schluss erneut 1 mittellangen (dazwischen 7 Tonpapier-Kreise). Die Nadel durch den mittleren »halben Pompon« ziehen, die Nadel entfernen und den Faden vorerst auf den gekreuzten Armen ruhen lassen. Die übrigen Arme herstellen.

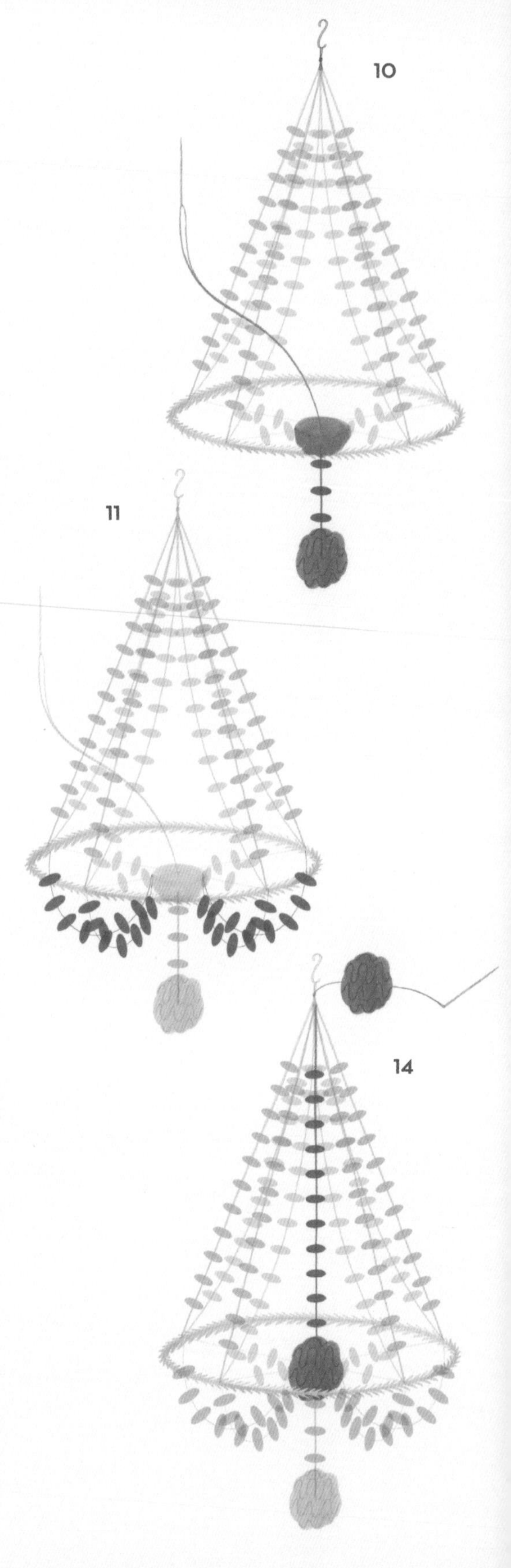

12 Alle 4 Arme zusammenfassen (oberhalb der gekreuzten Arme). Überprüfen, ob die Arme gleichmäßig lang sind, dann nicht allzu fest zusammenbinden, damit sie locker baumeln.

Fertigstellen des mittleren Arms

13 Auf den langen Faden, an dem noch die erste Nadel befestigt ist, die 8 verbleibenden Lagen des zweiten Sets auffädeln, um den Pompon fertigzustellen. 1 kleines Quadrat aus Alufolie ausschneiden (7 mm) und um den Faden knüllen, ins Innere des Pompons schieben und zusammendrücken, um den Pompon in Form zu halten. 1 mittellangen Stroh-Zuschnitt auffädeln, gefolgt von 9 kurzen Stroh-Zuschnitten, und dann 1 weiteren mittellangen Stroh-Zuschnitt (dazwischen 10 Tonpapier-Kreise). Nadel und Faden 2-mal durch den oberen Knoten führen.

14 Die restlichen 15 Lagen für den oberen Pompon auffädeln, bis zum Knoten hinunterschieben und wie zuvor 1 kleines Stück Alufolie als Stopper in den Pompon schieben. Die

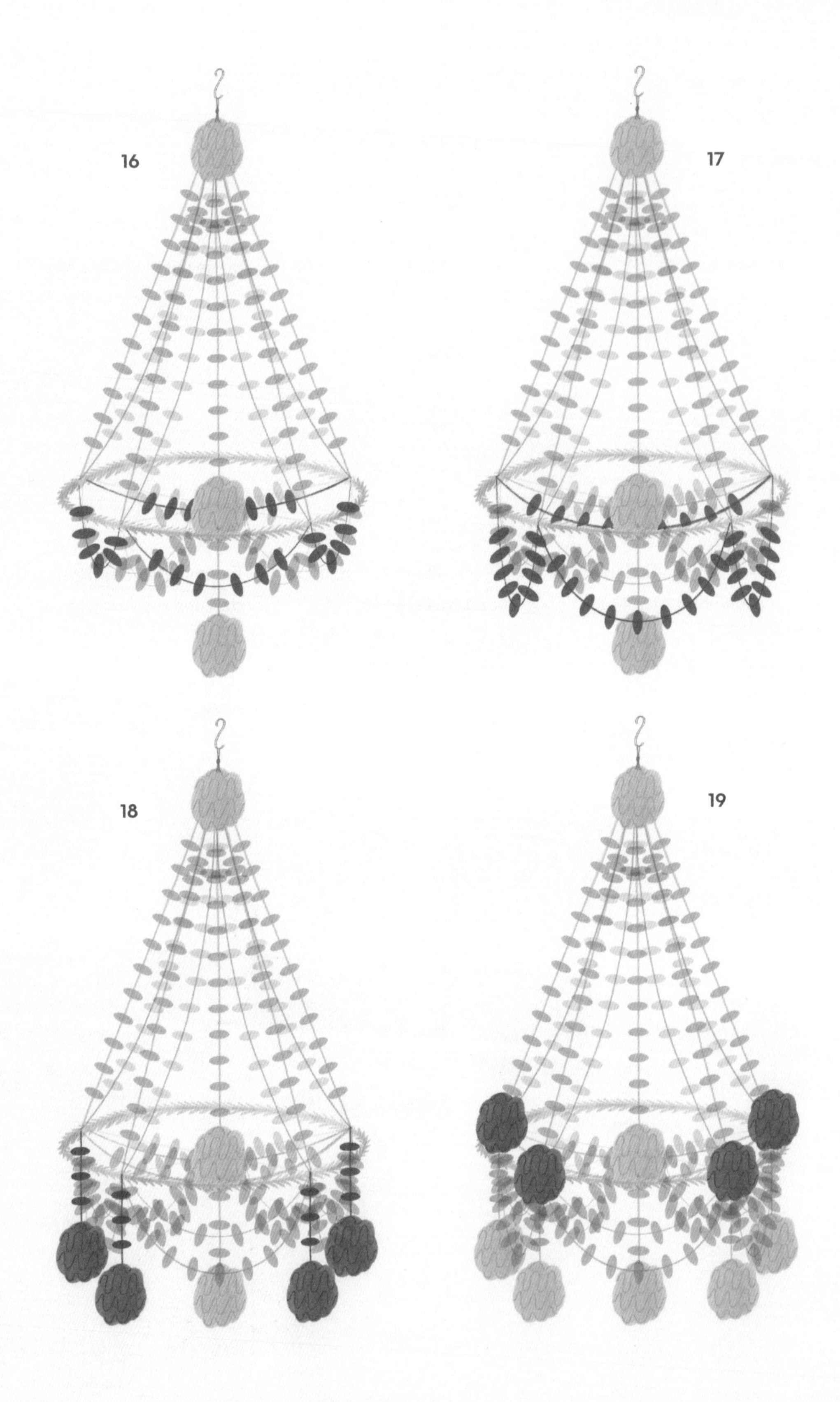
16
17
18
19

Nadel abschneiden und die Fäden mit Doppelknoten sichern.

15 Vom Textilband 1 Stück abschneiden (25 cm – ergibt als Schlaufe dann 10 cm), doppelt nehmen und zu einer Schlaufe binden, um den *Pająk* daran aufzuhängen. Das Band im Inneren des oberen Pompons fest an dessen Fäden binden. Das Ende des Bandes sollte im Pompon versteckt sein. Den Pompon aufbauschen. Überschüssige Fadenenden abschneiden. Den *Pająk* wieder aufhängen, um die untere Struktur fertigzustellen.

Untere baumelnde äußere Arme

16 Vom Baumwollgarn 4 Fäden (je 50 cm) abschneiden. Einen ersten Faden dort am Reif anbringen, wo einer der oberen Arme befestigt ist. 1 mittellangen Stroh-Zuschnitt, 5 kurze Stroh-Zuschnitte und 1 weiteren mittellangen Stroh-Zuschnitt (mit 6 Tonpapier-Kreisen dazwischen) auffädeln. Das Ende des Fadens unter dem nächsten oberen Arm um den Reif wickeln und mit Doppelknoten fixieren. Die restlichen 3 Arme ebenso arbeiten.

17 Vom Baumwollgarn 4 weitere Fäden (je 70 cm) abschneiden und unter den kürzeren Armen befestigen. 2 lange, 8 kurze und 2 lange Stroh-Zuschnitte (mit 9 Tonpapier-Kreisen dazwischen) auffädeln.

Untere Pompon-Arme

18 Jeweils 1 Set für die braunen Kalinka-Pompons auf 1 Garnfaden (35 cm) fädeln und mit 1 Alufolien-Kugel fixieren. Je 1 langen Stroh-Zuschnitt, 2 kurze Stroh-Zuschnitte und 1 weiteren langen auffädeln (mit 3 Tonpapier-Kreisen dazwischen). Die Nadel entfernen und jeden Arm mit einfachem Knoten am Reif befestigen. Überprüfen, ob alle Pompons auf der gleichen Höhe hängen – wenn ja, sie mit Doppelknoten fixieren.

Eck-Pompons

19 Die 4 fertigen violetten Kalinka-Pompons am Reif befestigen, indem man ihre beiden Fäden jeweils fest mit Doppelknoten am Reif befestigt. Überschüssige Fadenenden abschneiden und die Pompons so anordnen, dass alle Knoten verdeckt sind.

+ Zofia +

Ob Lilie, Rose, Mohn, Pfingstrose oder Aster: Es gibt keine Blume, die Zofia Samul nicht aus Papier nachbilden könnte.

Zofia wurde in einem Dorf in Kurpie geboren, einer wunderschönen Region im Nordosten Polens, umgeben von alten Wäldern. Die Gegend ist berühmt für ihre einzigartige und reiche Volkskunst, zu der traditionelle Holzarchitektur, Trachten, Musik, Papierhandwerk und Osterpalmen gehören.

Die Region hat auch ihren eigenen Dialekt, und so heißt der *Pająk* hier *Kierec*. Er besteht aus aufgefädelten Erbsen, die mit traditionellen Kurpie-Papierrosen oder anderen Papierblumen kombiniert werden. Hier bezieht sich ein *Pająk* auf eine besondere Papierdekoration aus Krepp-Papier-Streifen, die in der Mitte des Raumes an der Decke befestigt und dann symmetrisch zu einer großen, zeltförmigen Dekoration auseinandergezogen werden.

Als Zofia ein kleines Mädchen war, schaute sie ihrer Großmutter und Mutter gerne beim Basteln von Scherenschnitten und anderen Papierdekorationen zu. Sie lächelt, wenn sie über diese Kindheitserinnerungen spricht. Sie erzählt, dass das alte traditionelle Haus, in dem sie wohnten, anlässlich wichtiger Feste wie Weihnachten und Ostern immer reich geschmückt wurde. Alle Wände mussten verputzt und geweißelt werden, und dann bereitete man gemeinsam verschiedene Arten von Dekorationen vor: Fensterschmuck aus Papier, ausgeschnittene Kreise und Sterne als Wandverzierungen, einen *Pająk* in der Mitte des Raumes und einen *Kierec* über dem Tisch.

Heutzutage ist diese Tradition in Vergessenheit geraten, fügt Zofia traurig hinzu. Für sie ist es wichtig, die Tradition zu pflegen, deshalb gibt sie ihr Wissen gerne weiter. Sie brachte mir bei, wie man Papier faltet, um eine traditionelle Kurpie-Rose zu kreieren, und wie man andere Blumen mithilfe eines Messers oder Holzstabes herstellt.

In einer Zimmerecke hatte sie sich einen Heiligenaltar (*Święty kąt*) eingerichtet, früher der wichtigste Teil eines ländlichen Hauses. In der Mitte des Altars wurde ein Kruzifix oder eine Madonnenfigur zwischen zwei symmetrischen Sträußen aus bunten Papierblumen aufgestellt.

Zofias KIEREC

Dieses Design mit aufgefädelten Weißen Erbsen und Papierblumen wurde durch meine Treffen mit der Volkskünstlerin Zofia inspiriert. Sie hat mir gezeigt, wie man traditionelle Papierrosen herstellt – ich habe sie hier in verschiedenen Farben verwendet.

Höhe 67 cm • **Breite** 40 cm

Das wird benötigt

Baumwollgarn
Lineal
Schere
6-cm-Nähnadel
getrocknete Weiße Erbsen, eingeweicht
Krepp-Papier in Hellrosa, Pfirsich, Rot, Blau und Grün
Blumendraht
Kleber
Bleistift
2 Metallreifen, 25 cm Durchmesser
1 Metallreif, 30 cm Durchmesser
Textilband, 5 mm breit

Das ist vorzubereiten

Erbsen-Ketten:
8 Fäden Baumwollgarn (je 65 cm) mit 45 cm aufgefädelten Erbsen (Seite 33) und einem Stück ohne Erbsen an jedem Ende

1 Faden Baumwollgarn (2 m) mit aufgefädelten Erbsen

1 Faden Baumwollgarn (2,5 m) mit aufgefädelten Erbsen

Kurpie-Rosen (Seite 54):
20 (in Hellrosa, Pfirsich, Rot und Blau, plus Grün für den Stielansatz)

Tipp: Anstelle von Erbsen kann man auch herkömmliche Perlen verwenden.

Struktur des PAJĄK

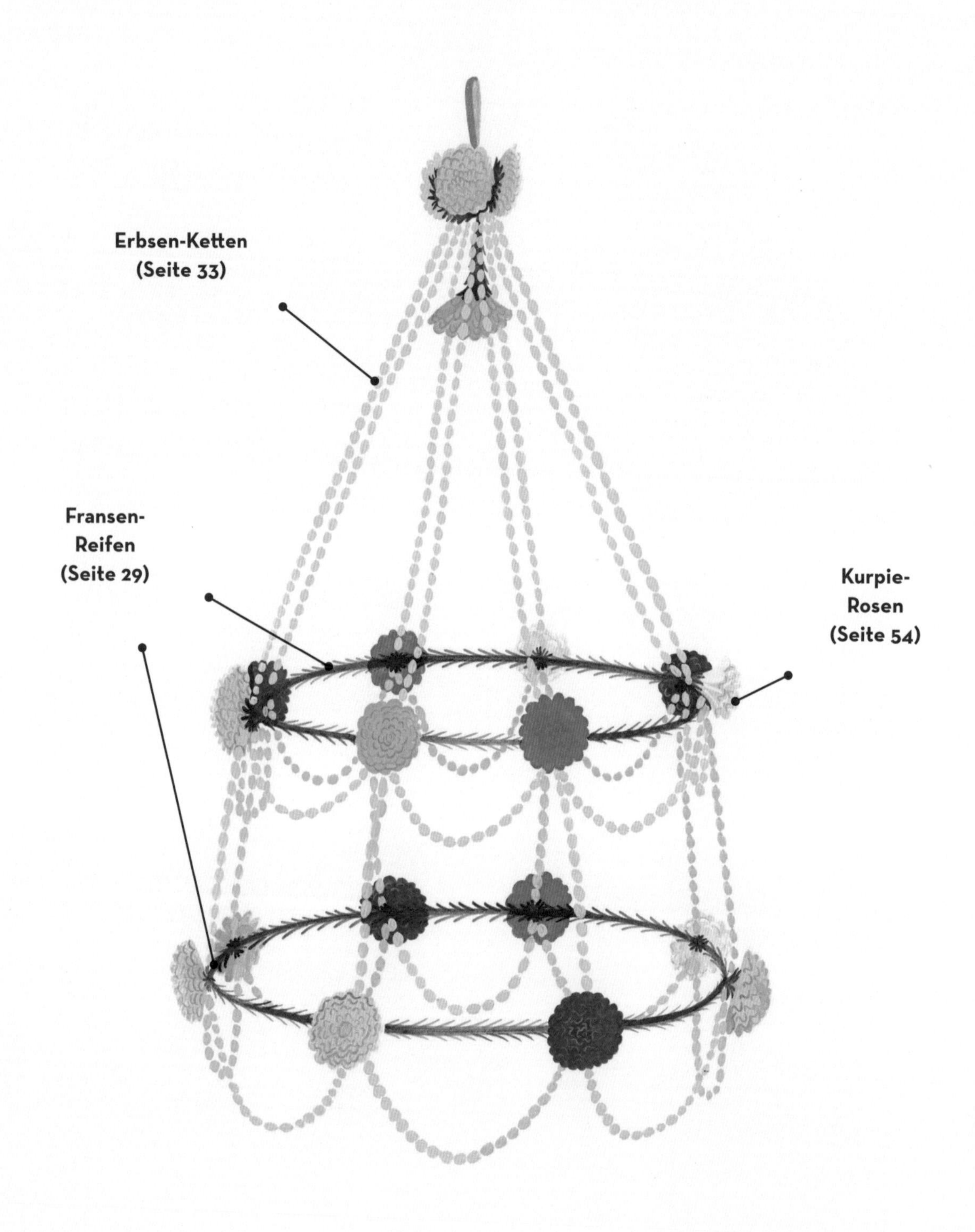

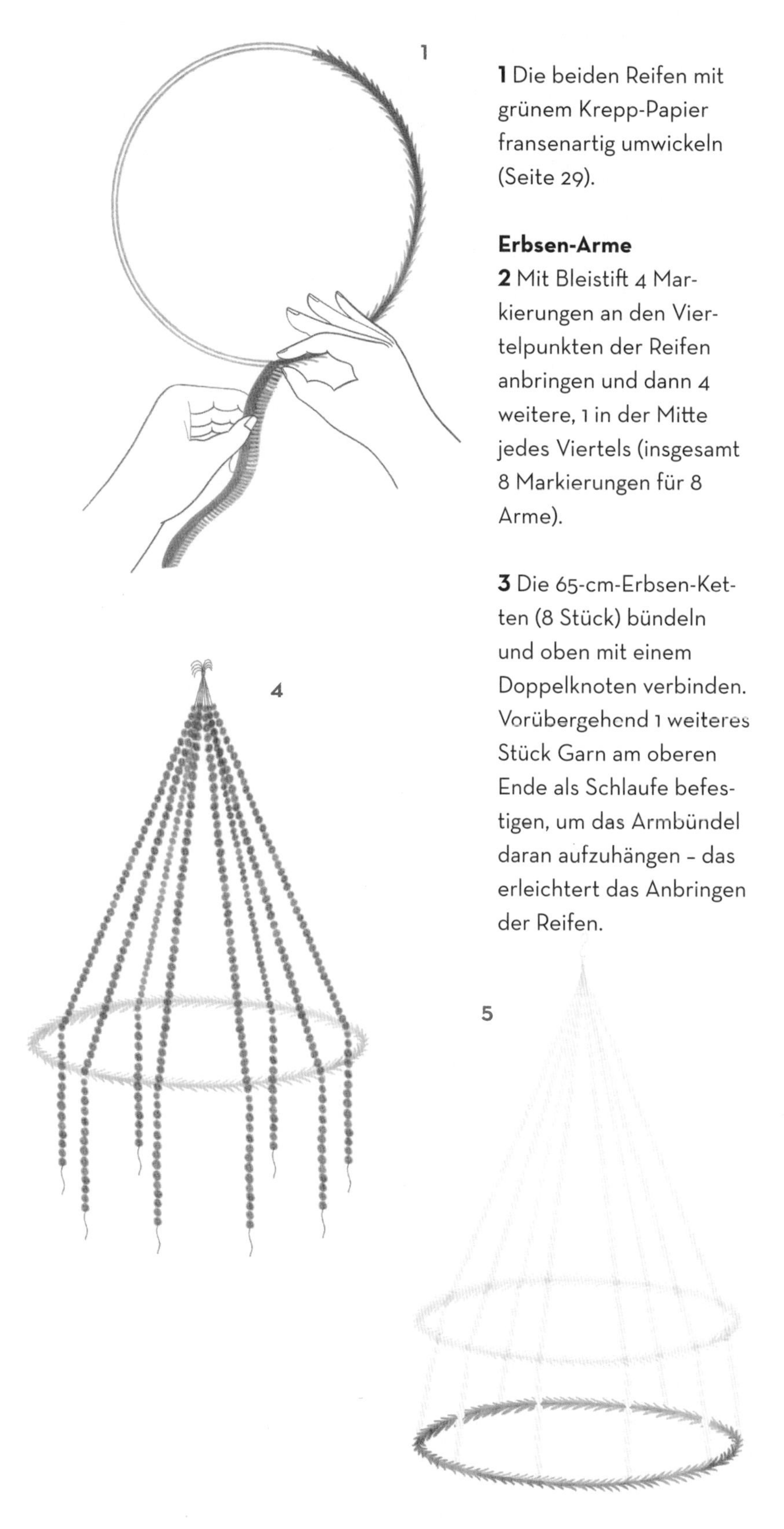

1 Die beiden Reifen mit grünem Krepp-Papier fransenartig umwickeln (Seite 29).

Erbsen-Arme

2 Mit Bleistift 4 Markierungen an den Viertelpunkten der Reifen anbringen und dann 4 weitere, 1 in der Mitte jedes Viertels (insgesamt 8 Markierungen für 8 Arme).

3 Die 65-cm-Erbsen-Ketten (8 Stück) bündeln und oben mit einem Doppelknoten verbinden. Vorübergehend 1 weiteres Stück Garn am oberen Ende als Schlaufe befestigen, um das Armbündel daran aufzuhängen – das erleichtert das Anbringen der Reifen.

4 Von der Oberseite jedes Arms 30 cm nach unten messen – in dieser Höhe soll der 25-cm-Reif befestigt werden. Die Erbsen leicht auseinanderschieben, damit am Garn der Kette eine Lücke zum Umwickeln des Reifs entsteht. 4 einander gegenüberliegende Arme an den Markierungen an den Viertelpunkten des Reifs befestigen und prüfen, ob der Reif gerade ausbalanciert ist. Wenn nicht, die Erbsen verschieben und die Garnlängen anpassen. Die übrigen 4 Arme an den restlichen Markierungen anbringen, optional mit Kleber am Reif fixieren, damit sie nicht verrutschen.

5 Als Nächstes den 30-cm-Reif an den Arm-Enden befestigen. Die Arm-Enden an den Markierungen um den Reif wickeln und mit Doppelknoten so fixieren, dass der Reif gerade hängt. Überschüssiges Garn abschneiden.

Erbsen-Girlande

6 Das Fadenende der 2-m-Erbsen-Kette am oberen Reif dort anbinden, wo auch einer der Arme befestigt ist.

Die Kette bis zur Verbindungsstelle des nächsten Arms weiterführen und so anbinden, dass eine etwa 5 cm tiefe Welle entsteht (siehe Abbildung). Man muss nicht jedes Mal einen Knoten machen, um die Welle zu fixieren, sondern kann die Kette einfach nur um den Reif schlingen. Die gesamte Kette in gleichmäßig großen Wellen am Reif befestigen. Die Erbsen etwas auseinanderschieben, um Lücken in der Kette zu schaffen, sodass das Garn auf dem Reif aufliegt. Das Endstück anknoten und überschüssiges Garn abschneiden.

7 Auf die gleiche Weise am unteren Reif die 2,5-m-Erbsen-Kette wellenförmig als Girlande befestigen. Jede Welle in dieser Ebene sollte etwa 9 cm hoch sein. Es macht nichts, wenn die Wellen noch ein wenig unordentlich aussehen und verrutschen. Oben auf jeder Welle werden noch Rosen befestigt, um die Verbindungspunkte zu verstärken und zu kaschieren.

8 Vom Textilband 1 Stück (25 cm) abschneiden, ein Ende durch den oberen Knoten des *Pająk* ziehen und es unten als Schlaufe zusammenbinden. Überschüssige Enden am Knoten abschneiden.

Kurpie-Rosen

9 Oben 1 Kurpie-Rose mit dem Stiel so am Knotenpunkt der Arme befestigen, dass sie kopfüber mittig nach unten hängt. Oben am Knotenpunkt 3 weitere Kurpie-Rosen wie abgebildet außen befestigen. Sie sehen hübsch aus und verdecken den Knoten.

10 Zum Schluss die restlichen 16 Kurpie-Rosen über den Verbindungspunkten von Erbsen-Armen, Erbsen-Girlanden und Reifen anbringen.

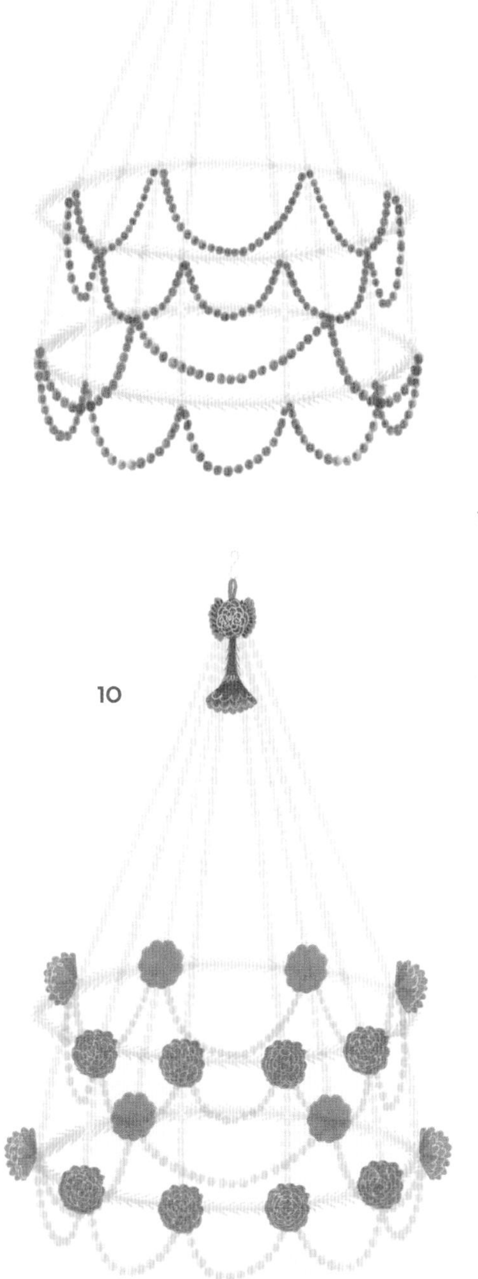

Łowicz-PAJĄK

Der Łowicz-*Pająk* ist berühmt für seine handgewebte, achteckige Wollplattform. Mir gefallen in diesem Design besonders die einzigartigen, blumenartigen Röhren-Pompons.

Höhe 78 cm • **Breite** 35 cm

Das wird benötigt

Roggen- oder Papierstroh
Lineal
Schere
Seidenpapier in Gelb, Hellrosa, Grau, Blaugrün, Weiß, Hellbraun und Dunkelbraun
Zirkel
Bleistift
Spitzer
2 lange 6-cm-Nähnadeln
Kleber
Alufolie
Baumwollgarn
Löffel mit einem sehr flachen, einfachen Griff
3 Holzstangen, 45 cm lang und 3–4 mm dick
Wollgarn in Braun und Hellrosa
Gartenschere
Textilband, 5 mm breit

Das ist vorzubereiten

Stroh-Zuschnitte:
219 kurze (3 cm)
76 lange (6 cm)

Łowicz-Kreise (Seite 33):
84 in Weiß, 78 in Hellrosa, 24 in Hellbraun, 53 in Dunkelbraun und 42 in Orange (3 cm)

Sets aus je 12 losen Lagen für Igel-Pompons (Seite 40):
6 in Blaugrün (10 cm)
1 in Grau (10 cm)

Sets aus je 15 losen Lagen für Röhren-Pompons (Seite 46):
2 in Grau (8 cm)

Fertige Łowicz-Pompons (Seite 50):
6 in Gelb (8 cm/5 cm)

Struktur des PAJĄK

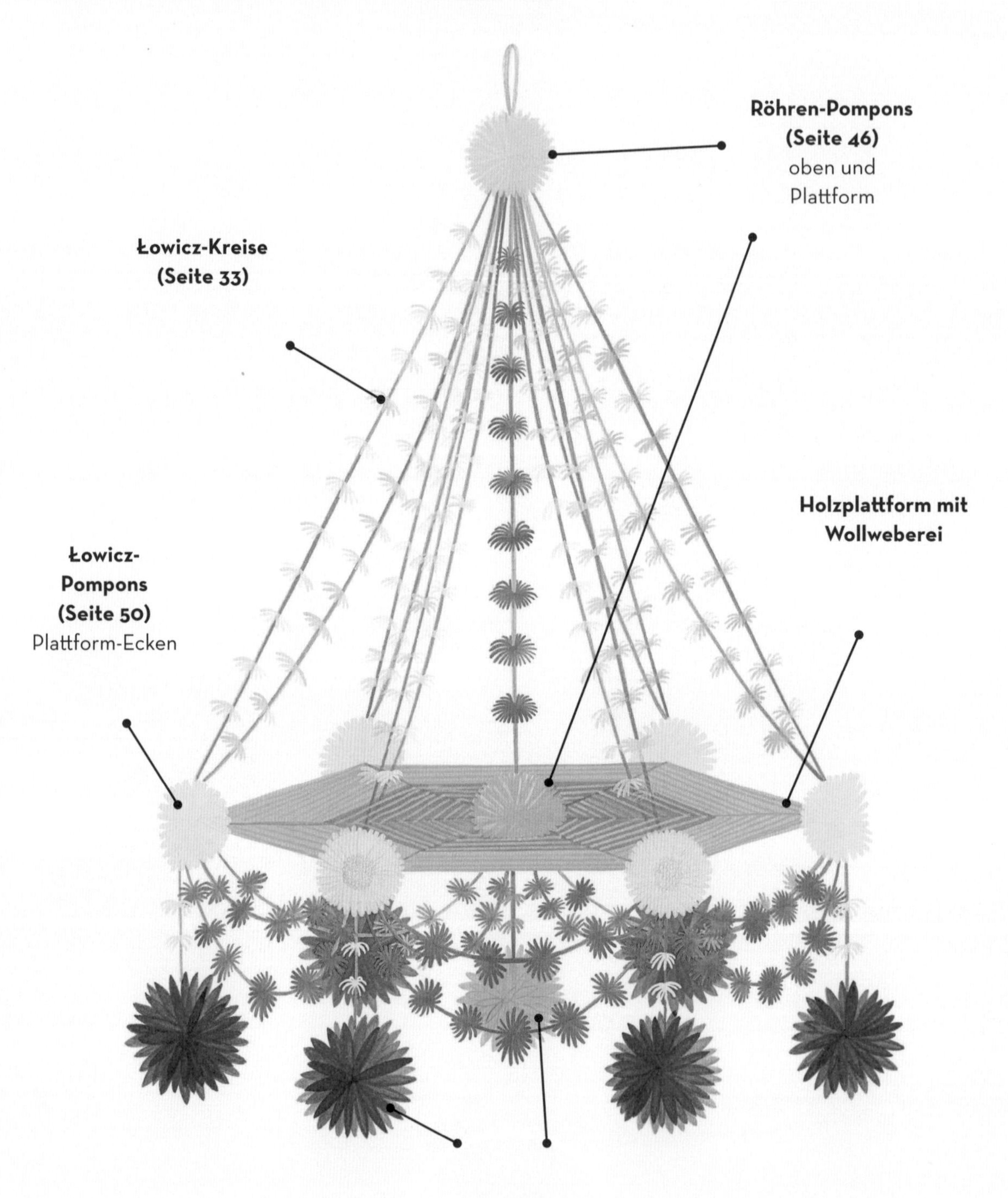

Plattform

1 Auf allen 3 Holzstangen mit Bleistift die Mitte markieren. Vom Baumwollgarn 1 Faden (30 cm) abschneiden, es um den Mittelpunkt eines Stabes wickeln und einen festen Knoten binden. Nun alle 3 Stäbe zusammenfügen und mittig ein paar Mal umwickeln, um sie zu verbinden. Zu einem 6-armigen Stern auseinanderziehen und den Faden um jeden Stab wickeln (abwechselnd darüber und darunter). Am Anfang werden sich die Stäbe noch bewegen, daher muss man sie gut in Position halten. Prüfen, ob sie alle zentriert und rechtwinklig sind, und, falls nötig, korrigieren. Weiter wickeln, bis vom Faden nur noch etwa 1 cm Fadenlänge übrig ist und alles fest sitzt.

2 Die Garnfarben auswählen. Traditionell sind diese sehr bunt, aber mein Entwurf ist eher schlicht und ich habe nur 2 Töne gewählt. Beachten sollte man, dass die erste Farbe der Plattformweberei teilweise unter dem zentralen Pompon verborgen sein wird. Beginnend mit der ersten Farbe das Ende des Wollgarns um einen der Stäbe wickeln, in die Mitte schieben mit einem Knoten sichern. Alle Stäbe in der gleichen Richtung mit dem Wollgarn umwickeln (von oben, von unten und wieder von oben). So erhält man eine schöne, flache, bunte Oberfläche. Das Wollgarn darf nicht zu locker sitzen, sondern muss schön straff gewickelt werden. Ziel ist es, eine flache, ebenmäßige Plattform zu schaffen.

1

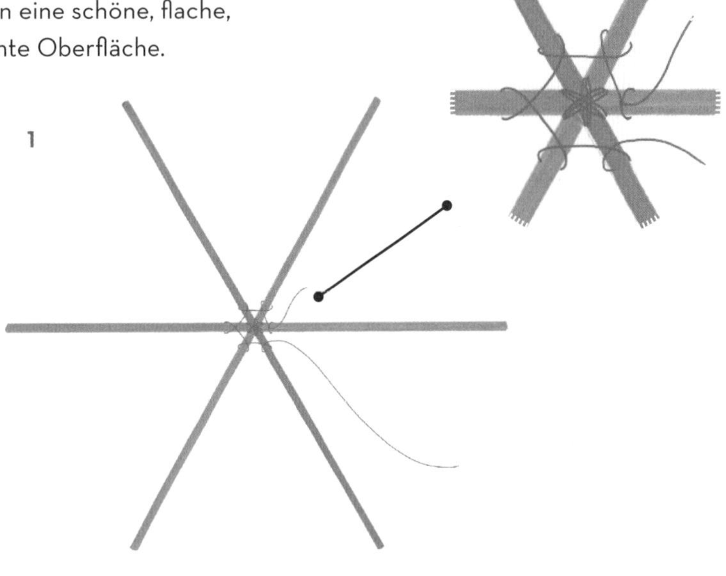

2

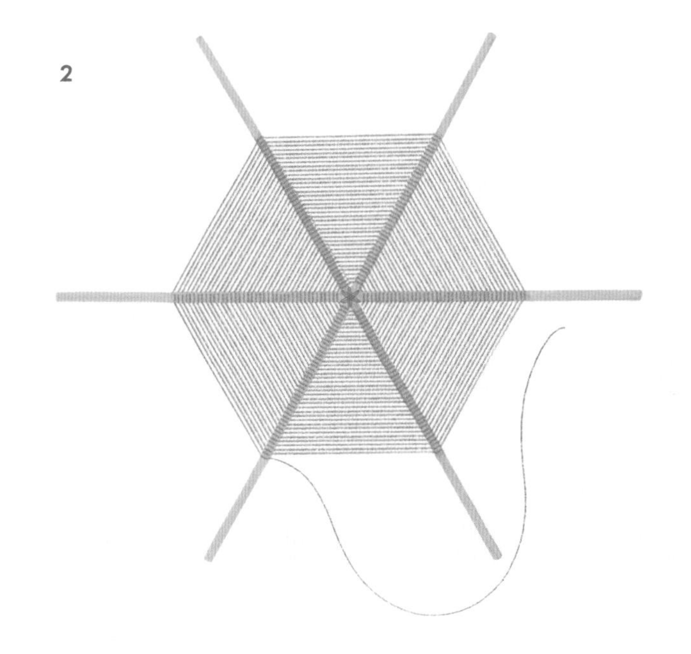

3 Um die Wollfarbe zu wechseln, den benutzten Faden abschneiden, um einen der Stäbe winden und doppelt verknoten. Ein andersfarbiges Wollgarn nehmen, es um den Stab verknoten und um die Plattform wickeln. Mit den gewünschten Farben so fortfahren, bis fast die gesamte Plattform bedeckt ist (aber nicht ganz bis zu den Stabenden wickeln, sondern einen Abstand von 1,5 cm frei lassen). Die Stabenden mit einer Gartenschere kürzen, falls einige zu lang aussehen.

Hinweis: Die Seite der Plattform mit den Knoten (die obere Seite) wird verdeckt, also sollte sie einem zugewandt sein, wenn man später am *Pająk* arbeitet und die oberen Arme befestigt. Die »rechte Seite« der Plattform ist diejenige, die nach unten zeigt. Denn wenn man den *Pająk* hoch aufhängt, wird man ihn von unten sehen.

3

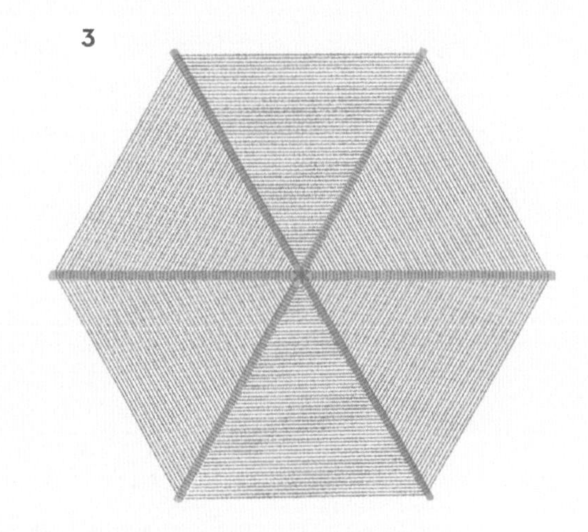

Innere obere Arme

4 Vom Baumwollgarn 6 Fäden (je 90 cm) abschneiden. Ein erstes Fadenende um das Ende eines Holzstabes wickeln und verknoten. Den Faden in das Nadelöhr einfädeln und 1 langen Stroh-Zuschnitt auffädeln, gefolgt von 12 kurzen Stroh-Zuschnitten (mit 13 Łowicz-Kreisen dazwischen). Mit 1 weiteren langen Stroh-Zuschnitt abschließen. Die restlichen 5 Arme auf die gleiche Weise anfertigen. Dann alle 6 Arme bündeln und oben verknoten. Das Arm-Bündel auf der Plattform ablegen.

4

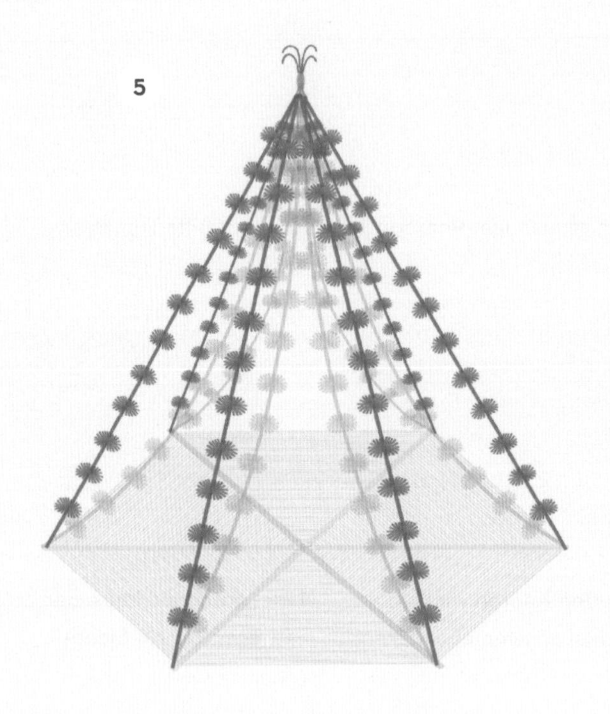
5

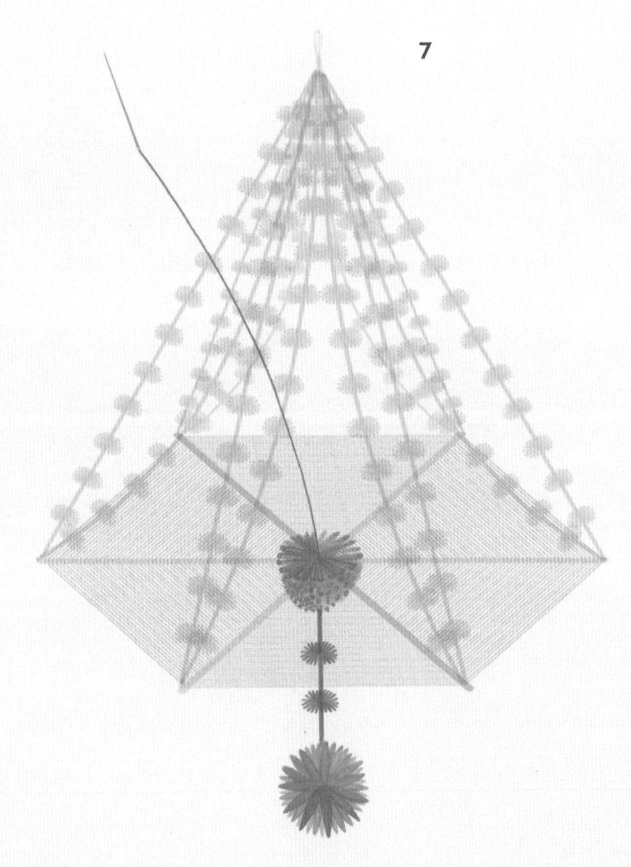
7

Äußere obere Arme
5 Vom Baumwollgarn 6 Fäden (je 80 cm) abschneiden. An der Plattform an denselben Stellen befestigen, an denen bereits die anderen Arme angebracht wurden. 1 langen Stroh-Zuschnitt auffädeln, dann 11 kurze Stroh-Zuschnitte und 1 langen Stroh-Zuschnitt (mit 12 Łowicz-Kreisen dazwischen). Dann die 6 Arme bündeln und oben verknoten. Dieses Armbündel und das Bündel der inneren oberen Arme mit einem starken Knoten verbinden. Die inneren oberen Arme sollten länger sein und locker geschwungen hängen; so füllen sie den oberen Teil der Struktur schön aus und verleihen ihr zusätzliche Textur.

Die *Pająk*-Struktur anheben und prüfen, ob die Plattform gerade hängt. Die Armlängen bei Bedarf korrigieren. Den *Pająk* aufhängen, um an den unteren Teilen zu arbeiten.

Mittlerer Arm
6 Das Set aus 12 Lagen für den grauen Igel-Pompon bereitlegen. 1 Faden (2 m) vom Baumwollgarn abschneiden, durch das Nadelöhr fädeln und mittig doppelt nehmen, unten mit einem Doppelknoten verbinden. 1 quadratisches Stück Alufolie (1 cm) ausschneiden und um den Knoten wickeln. Es fest zusammendrücken, um eine Mandelform als Stopper zu bilden. Alle 12 Lagen auffädeln und bis zum Stopper schieben. 1 weiteres kleines quadratisches Stück Alufolie (7 mm) abschneiden, um das Garn wickeln und ins Innere des Pompons schieben. Es fest zusammenknüllen, damit es an seinem Platz bleibt und den Pompon in Form hält.

7 Nun 1 langen Stroh-Zuschnitt auf den Pompon-Arm auffädeln, dann 1 kurzen und dann wieder 1 langen (dazwischen 2 Łowicz-Kreise).

Das erste Set von 15 Lagen für einen der grauen Röhren-Pompons nehmen und die Nadel mittig durch alle Lagen stechen. Die Nadel durch die Mitte der Plattform und zur Sicherung nochmals durch die Wollfläche führen.

Tipp: Die Nadel noch nicht abschneiden, sie wird später noch benötigt. Darauf achten, dass der Arm genug Spiel hat und locker sitzt. Er darf nicht zu fest angebracht sein, sondern muss leicht baumeln.

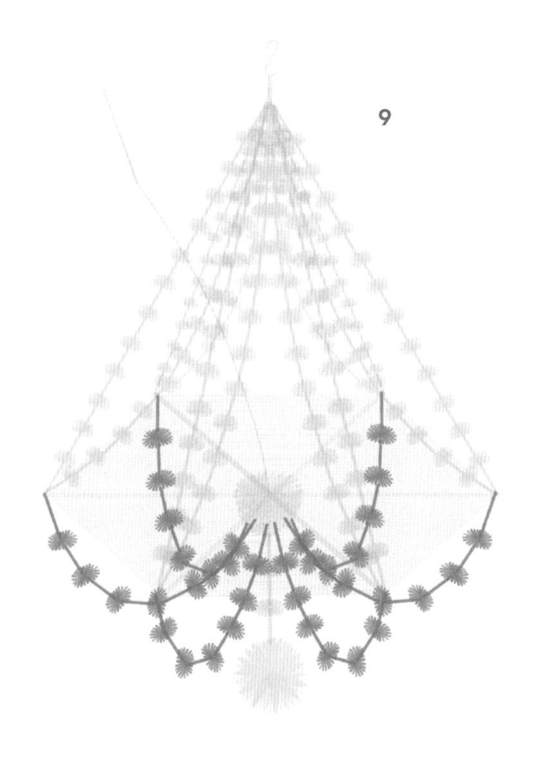

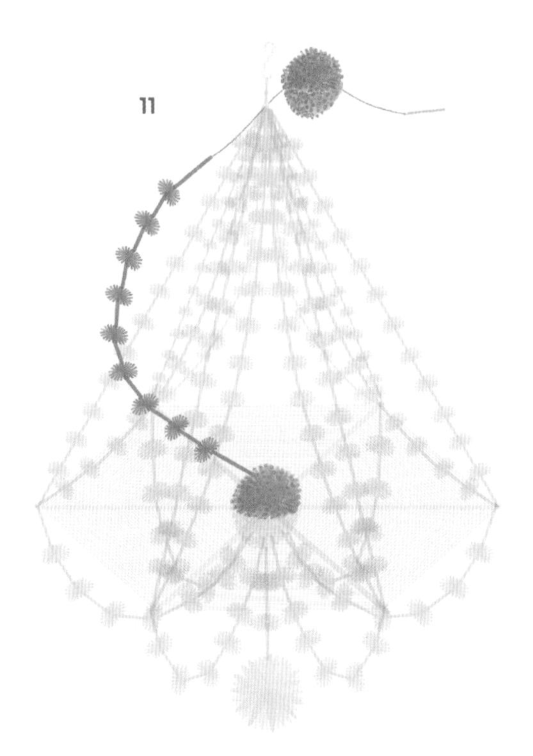

Innere untere baumelnde Arme

8 Vom Baumwollgarn 6 Fäden (je 50 cm) abschneiden. Einen ersten Faden am Ende eines der Holzstäbe befestigen, in das Nadelöhr fädeln und dann 1 langen Stroh-Zuschnitt, 6 kurze Stroh-Zuschnitte und zum Schluss 1 weiteren langen Stroh-Zuschnitt auffädeln (dazwischen 7 Łowicz-Kreise).

9 Die Nadel durch die Mitte des mittleren Pompons durch die Wollplattform führen, auf einer Seite etwas Faden stehen lassen, die Nadel entfernen und mit den restlichen Armen fortfahren. Sobald alle Arme befestigt und durch die Plattform gefädelt wurden, die überstehenden Fadenenden bündeln und mit einem Doppelknoten verbinden. Überschüssige Fadenenden abschneiden. Darauf achten, die Arme nicht zu fest anzubinden, sie sollten locker baumeln.

Fertigstellung des mittleren Arms

10 Den langen Faden aufnehmen, den man vorher stehen gelassen hat, und den mittleren grauen Röhren-Pompon fertigstellen, indem man die restlichen 15 Lagen hinzufügt. 1 kleines Stück Alufolie abschneiden, es um den Faden wickeln, nach unten in den Pompon schieben und zu einer Kugel zusammendrücken 1 langen Stroh-Zuschnitt, dann 8 kurze Stroh-Zuschnitte und erneut 1 langen Stroh-Zuschnitt auffädeln (dazwischen 9 Łowicz-Kreise). Die Nadel 2-mal durch den oberen Knoten führen (an der Stelle, an der die oberen Arme verbunden sind), damit der mittlere Arm sicher befestigt ist.

11 Den oberen grauen Röhren-Pompon anbringen, indem man 30 Lagen Seidenpapier auffädelt und bis zum Knoten herunterdrückt. 1 kleines Quadrat aus mehreren Lagen Seidenpapier (7 mm) ausschneiden, auffädeln und bis in die Mitte des Pompons hinunterschieben. 1 Stück vom Textilband (25 cm) abschneiden, mittig doppelt nehmen und unten zu einer Schlaufe verknoten. Die Schlaufe am Pompon befestigen. Hierfür ein Garnende durch die Schlaufe fädeln und mit dem anderen Garnende mit einem

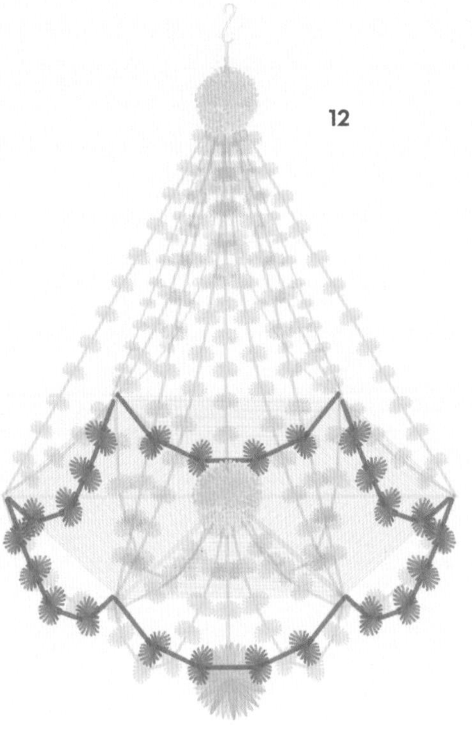

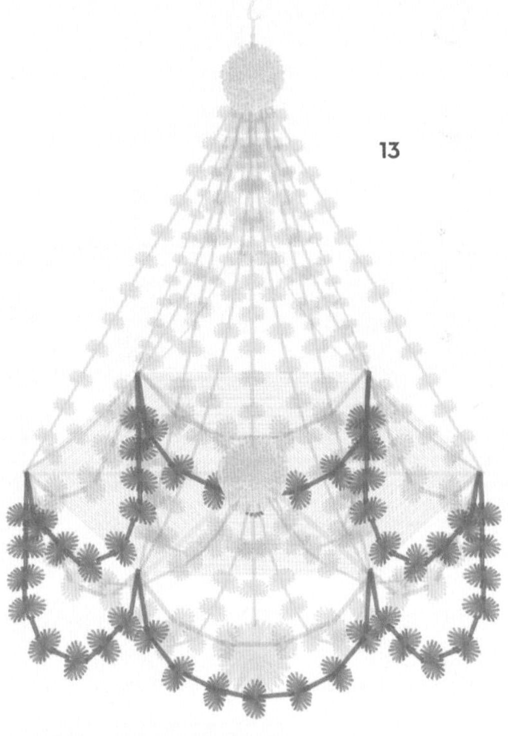

festen Doppelknoten fixieren. Überschüssige Garnenden abschneiden. Die Struktur aufhängen, um an den unteren Teilen zu arbeiten.

Äußere baumelnde untere Arme

12 Vom Baumwollgarn 6 Fäden (je 40 cm) abschneiden. Einen ersten Faden an einer Ecke der Wollplattform befestigen, um eines der Stangenenden wickeln und mit Doppelknoten fixieren. 1 langen Stroh-Zuschnitt auffädeln, dann 3 kurze Stroh-Zuschnitte und zum Schluss 1 langen (dazwischen 4 Łowicz-Kreise). Das Ende des Fadens am nächsten Stangenende befestigen. Die restlichen 5 Arme rundherum ebenso befestigen.

13 Nun 6 Fäden Baumwollgarn (je 50 cm) für die längeren baumelnden Arme abschneiden. Die 6 längeren baumelnden Arme unter den kürzeren befestigen (auf die gleiche Weise wie die kürzeren). Auf jeden Arm 2 lange Stroh-Zuschnitte (als ers-

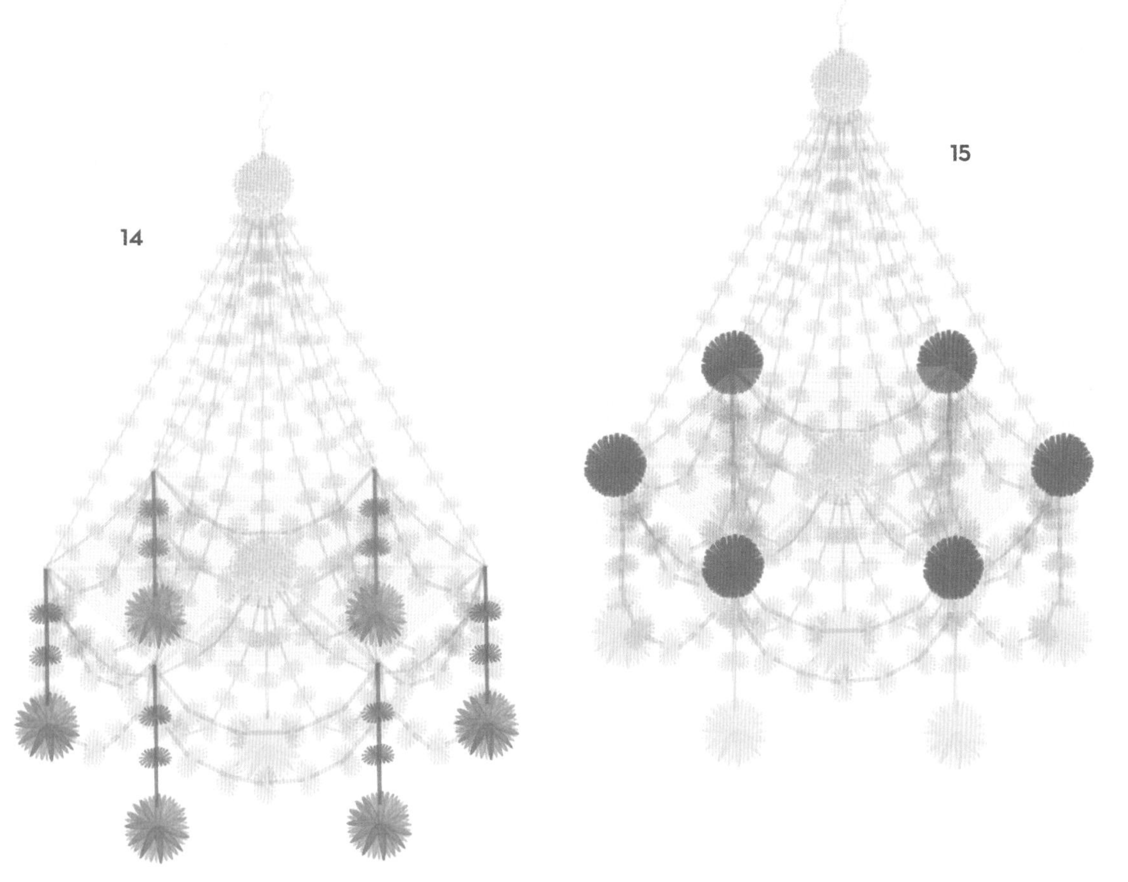

ten und letzten) und 6 kurze Stroh-Zuschnitte auffädeln (mit 7 Łowicz-Kreisen dazwischen). Die längeren Arme unter den kürzeren anbringen.

Untere Pompons

14 Jeden der 6 blaugrünen Igel-Pompons auf einen Garnfaden (je 35 cm) auffädeln und mit 1 kleinen Alufolien-Kugel fixieren. Dann jeweils 1 langen Stroh-Zuschnitt, 1 kurzen und 1 weiteren langen auffädeln (mit 2 Łowicz-Kreisen dazwischen). Die Nadel entfernen. Einen ersten Faden um ein Stabende wickeln, durch die Wollplattform führen und mit einem einfachen Knoten fixieren. Darauf achten, dass zwischen dem Stab und dem Ende des langen Stroh-Zuschnitts ein Spalt von 0,5 cm frei bleibt, damit der untere Arm etwas Spiel hat. Die restlichen unteren Pompons auf die gleiche Weise anbringen.

Überprüfen, ob sie symmetrisch hängen, dann jeden einfachen Knoten mit einem zweiten Knoten sichern. Überschüssige Fäden abschneiden.

15 Die gelben Łowicz-Röhren-Pompons an den Enden der Stäbe befestigen, indem man beide Fäden jedes Pompons durch die Kante der Wollplattform zieht (je einen Faden nach oben und einen nach unten) und mit Doppelknoten fixiert. Die Pompons sollten fest mit der Plattform verbunden sein. Überschüssige Fadenenden abschneiden.

MEISTER-PAJĄK

Dieser *Pająk* feiert all das, was bisher in diesem Buch zum Einsatz kam! Zu seinen großflächigen Merkmalen gehören schöne Fransen-Arme und eine interessante Struktur mit Rautenmuster.

Länge 125 cm • **Breite** 65 cm

Das wird benötigt

Roggen- oder Papierstroh
Lineal
Schere
Seidenpapier in Grau, Weiß, Schwarz, Pink und Senfbraun
Zirkel
Bleistift
2 lange 6-cm-Nähnadeln
Löffel mit einem sehr flachen, einfachen Griff
Baumwollgarn
Alufolie
Metallreif, 50 cm Durchmesser
Krepp-Papier in Hellrosa und leuchtend Blau
Kleber
Textilband, 5 mm breit

Das ist vorzubereiten

Stroh-Zuschnitte:
156 kurze (3 cm)
16 mittellange (6 cm)
28 lange (8 cm)
32 extralange (20 cm)

Sets aus je 30 losen Lagen für Röhren-Pompons (Seite 46):
1 in Grau (8 cm)
2 in Weiß (8 cm)
8 in Schwarz (8 cm)

Fertige Röhren-Pompons (Seite 46):
8 mit je 30 Lagen in Pink (8 cm)
8 mit je 20 Lagen in Senfbraun (8 cm)

Sets aus je 10 losen Lagen für Fluffige Seidenpapier-Kreise (Seite 33):
174 (3 cm)

Struktur des PAJĄK

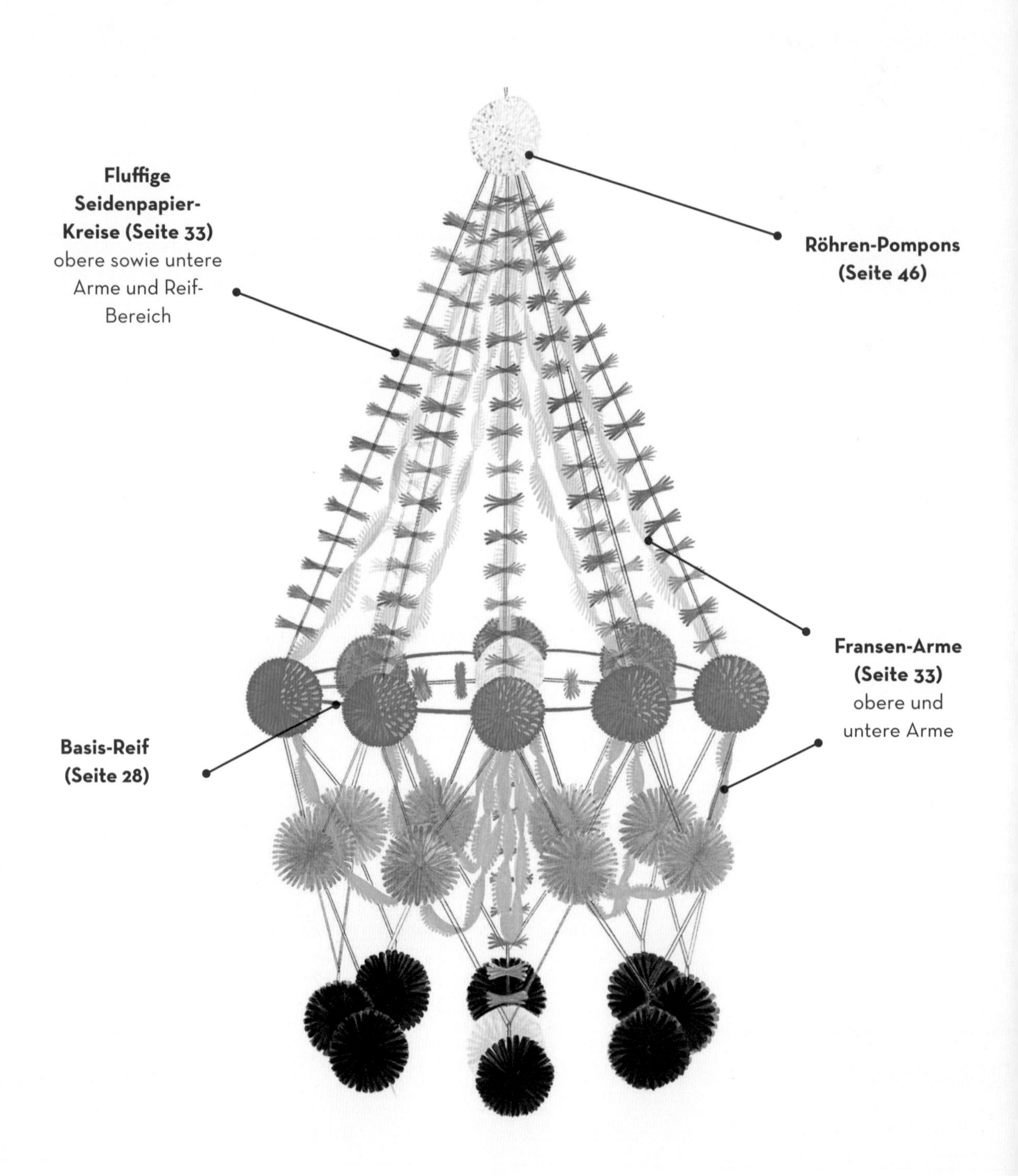

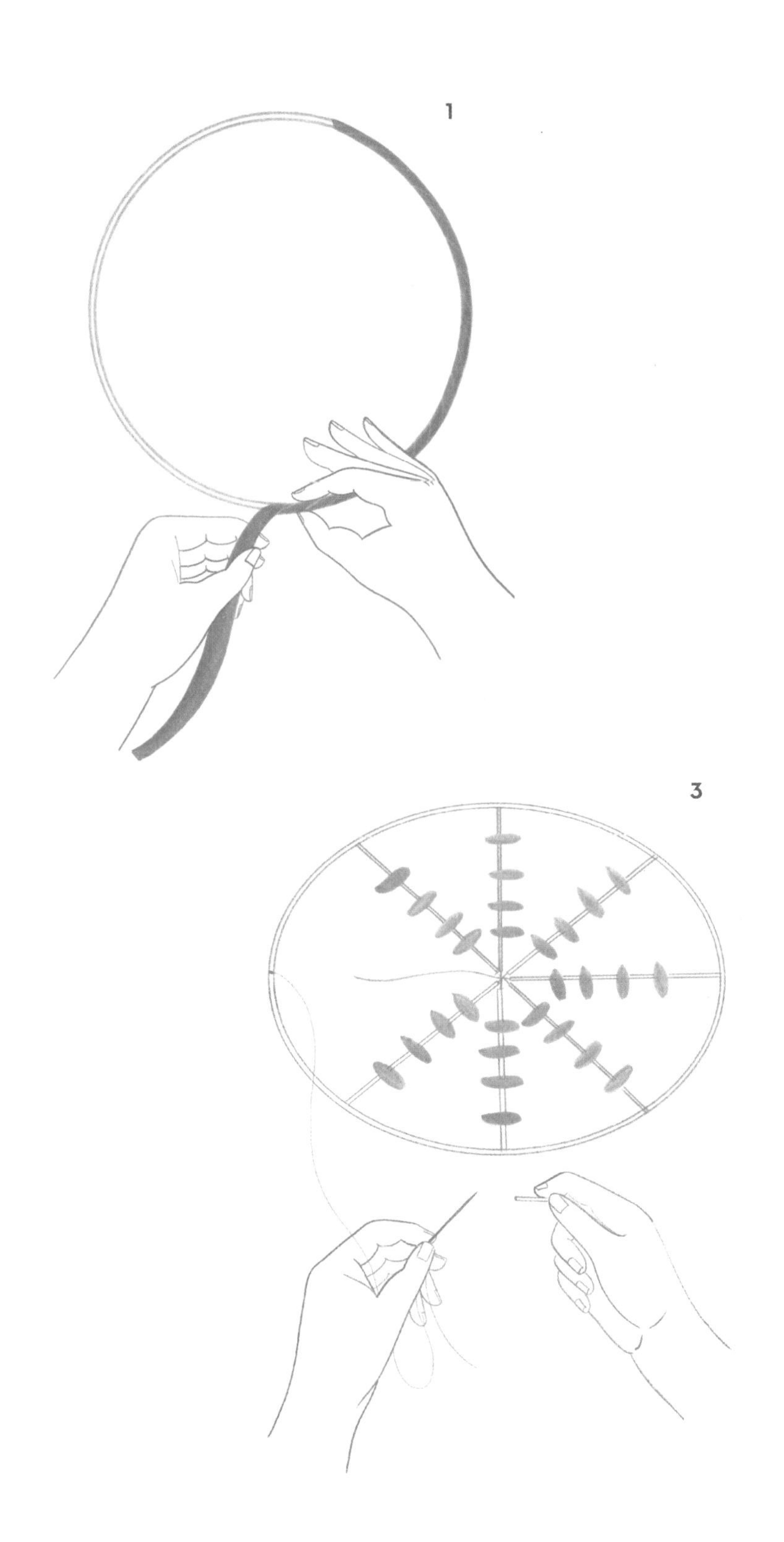

1 Den Reif mit hellrosa Krepp-Papier umwickeln (Seite 28).

Gekreuzte Arme

2 Vom Baumwollgarn 8 Fäden (je 45 cm) abschneiden. 4 davon mit Doppelknoten am Reif an den Viertelpunkten befestigen, die restlichen in der Mitte jedes Viertels. Auf jeden Arm 1 langen 8-cm-Stroh-Zuschnitt auffädeln, dann 3 kurze 3-cm-Stroh-Zuschnitte (dazwischen 4 Sätze Fluffige Kreise) und zum Schluss 1 mittellangen 6-cm-Stroh-Zuschnitt.

3 Die losen Enden der Arme zusammenführen und verknoten; jeweils zwei gegenüberliegende Fäden in der Mitte verknoten. Sobald alle drei Paare verknotet sind, diese mit einem Knoten zusammenbinden.

Obere Arme

4 Vom Baumwollgarn 8 Fäden (je 80 cm) abschneiden und an den Stellen befestigen, an denen die gekreuzten Arme am Reif verbunden sind. Ein erstes der losen Enden in die Nadel einfädeln und zuerst 1 langen

8-cm-Stroh-Zuschnitt auffädeln, dann 14 kurze 3-cm-Stroh-Zuschnitte, dazwischen 15 Sets Fluffige Seidenpapier-Kreise. Mit 1 langen 8-cm-Stroh-Zuschnitt abschließen. Sobald alle Arme aufgefädelt sind, sie oben mit einem einfachen Knoten zusammenfassen. Die Struktur aufhängen, um zu prüfen, ob sie gut ausbalanciert ist. Falls nicht, korrigieren und dann einen zweiten Knoten binden, um alles zu sichern.

Obere Fransen-Arme

5 Aus hellrosafarbenem Krepp-Papier 8 Fransen-Arme (je 65 cm) anfertigen (Seite 33). Ein Ende jedes Streifens an den Stellen an den Reif kleben, an denen auch die Arme befestigt sind, und jeden Streifen 6-mal um sich selbst drehen. Dabei empfiehlt es sich, in zwei Etappen zu arbeiten: Zuerst die ersten 4 Streifen drehen, die an den Viertelpunkten befestigt sind, und sie oben zusammen ankleben, dann die 4 weiteren.

6 Vom Baumwollgarn 1 Faden (30 cm) abschneiden, in das Nadelöhr einfädeln, mittig doppelt nehmen und an den Enden einen Doppelknoten binden. Die Fransen-Arme festhalten, mit der Nadel durchstechen und diese dann durch den oberen Knoten führen. Die Fransen sollten den mittleren Bereich der Struktur ausfüllen. Die Nadel erneut durch den oberen Knoten führen, um den Faden zu sichern. Die Nadel abschneiden und die Fadenenden mit Doppelknoten sichern. Überschüssige Fadenenden abschneiden. Den *Pająk* aufhängen, um die restlichen Teile herzustellen.

Mittlerer Arm

7 Die jeweils 30 Lagen der 3 Sets für die Röhren-Pompons (2 in Weiß und 1 in Grau) zurechtlegen. Vom Baumwollgarn 1 Faden (2,5 m) abschneiden, in die Nadel einfädeln, mittig doppelt nehmen und unten mit festem Doppelknoten verbinden. 1 Alufolien-Quadrat (2 cm) zuschneiden und um den Knoten herum zu einer Kugel zusammendrücken. Die Nadel noch nicht abschneiden, sondern hängen lassen.

8 Nun 30 weiße Röhren-Pompon-Lagen auffädeln und bis zum Knoten hinunterschieben. 1 kleines Quadrat aus Alufolie (1 cm) zuschneiden, um den Faden wickeln und ins Innere des Pompons schieben. Zu einer kleinen Kugel zusammenknüllen und andrücken, damit der Pompon in Form gehalten wird. 1 langen Stroh-Zuschnitt (8 cm) auffädeln, gefolgt von 8 kurzen 3-cm-Stroh-Zuschnitten (dazwischen 9 Sets Fluffige Seidenpapier-Kreise). Mit 1 langen 8-cm-Stroh-Zuschnitt abschließen. 15 Lagen des weißen Röhren-Pompons auffädeln. Die Nadel 2-mal durch den Knoten in der Mitte des Reifs führen, um den Arm zu sichern.

Untere Fransen-Arme

9 Aus blauem Krepp-Papier 8 Fransen-Arme (je 60 cm) herstellen (Seite 33). Ein Ende jedes Fransen-Arms an den Stellen an den Reif kleben, an denen bereits die oberen Arme befestigt sind. Jeden Fransen-Arm 5-mal um sich selbst drehen und das Ende jedes Streifens in der Mitte des mittleren Röhren-Pompons ankleben.

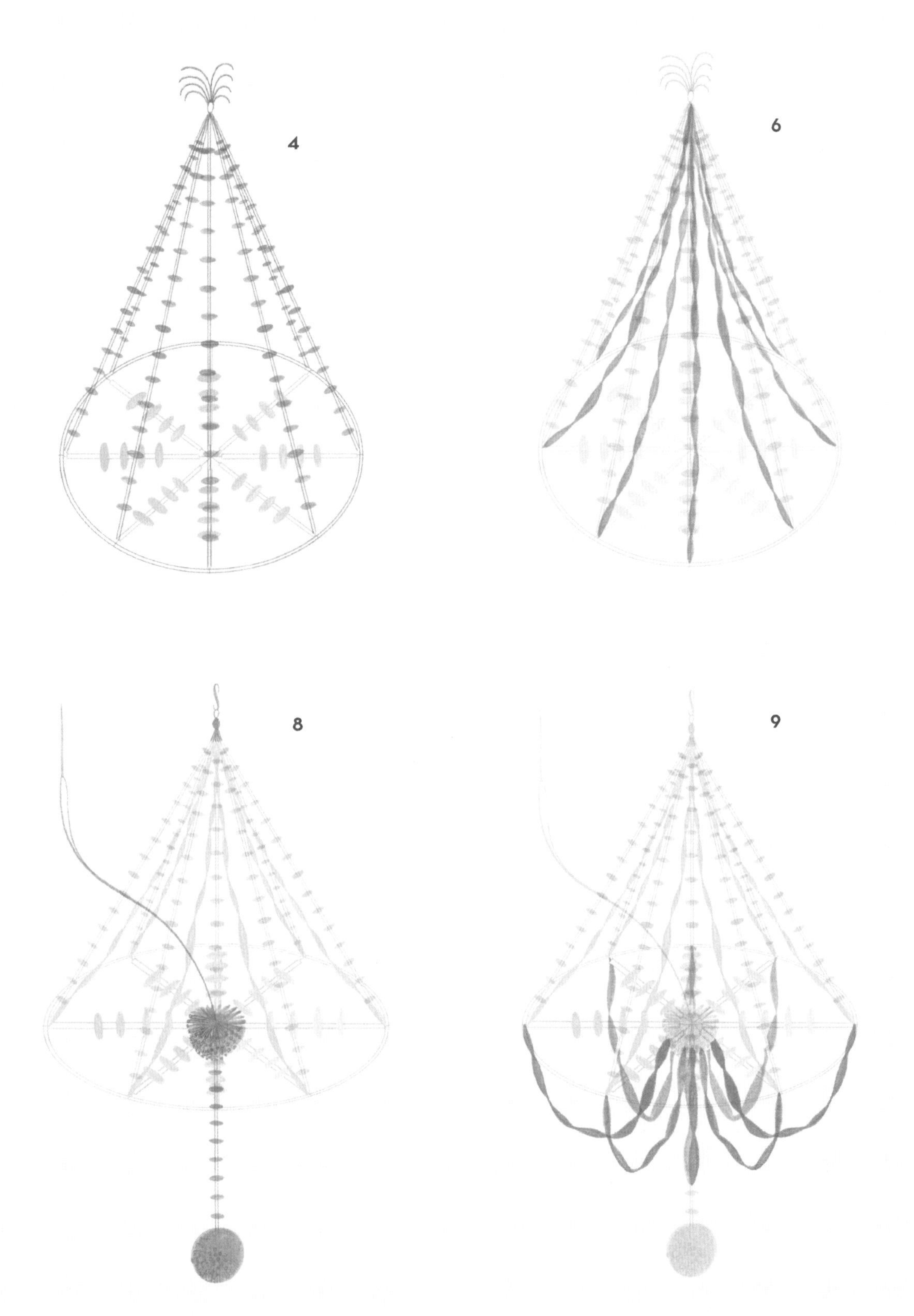
4
6
8
9

11

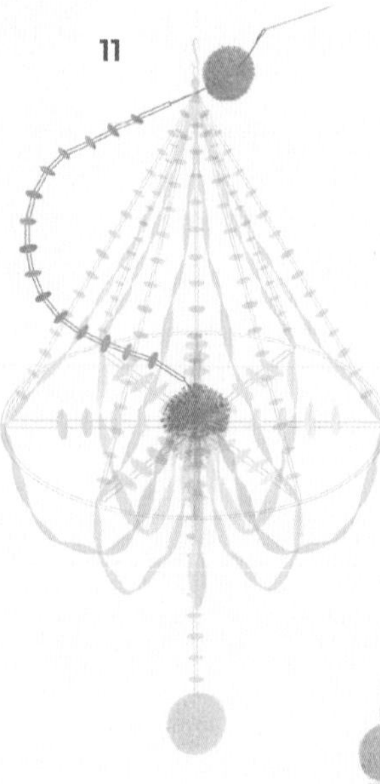

13

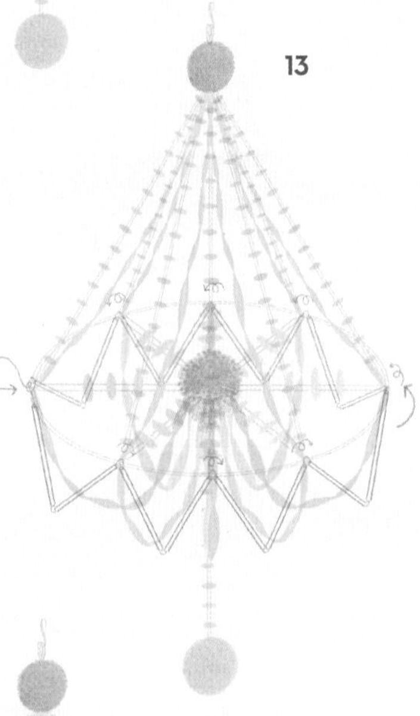

14

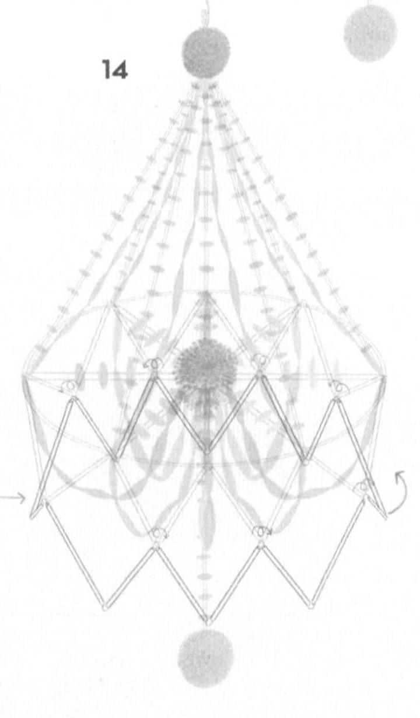

Fertigstellung des mittleren Arms

10 Die restlichen 15 weißen Röhren-Pompon-Lagen auffädeln. 1 Alufolien-Quadrat (1 cm) zuschneiden, um den Faden wickeln und ins Innere des Pompons schieben. Auf den mittleren Arm dann zunächst 1 langen Stroh-Zuschnitt (8 cm), dann 12 kurze Stroh-Zuschnitte (3 cm) auffädeln (dazwischen 13 Sätze Fluffige Seidenpapier-Kreise) und zum Schluss 1 langen Stroh-Zuschnitt (8 cm). Die Nadel 2-mal durch den oberen Knoten führen und darauf achten, dass der Arm nicht zu fest sitzt.

11 Nun die 30 Lagen des grauen Röhren-Pompons mit der Nadel durchstechen und bis zum Knoten hinunterschieben. 1 kleines Stück Seidenpapier (aus 8–10 Lagen) ausschneiden, auffädeln und ins Innere des Pompons schieben. Die Nadel abschneiden und die Fadenenden mit einem festen Doppelknoten sichern.

12 Vom Textilband 1 Stück (30 cm) abschneiden, mittig doppelt nehmen und am unteren Ende zu einer Schlaufe verknoten. In den Pompon schieben, mit den Pomponfäden mit festem Doppelknoten verknoten. Überschüssige Fadenenden abschneiden. Den *Pająk* aufhängen, um die restlichen Partien auszuarbeiten.

Seitenstruktur

13 Die Seitenstruktur wird aus den extralangen 20-cm-Stroh-Zuschnitten hergestellt. Vom Baumwollgarn 1 Faden (70 cm) abschneiden. Ein Ende an einer Stelle um den Reif wickeln, an der einer der oberen Arme auf den Reif trifft. Das lose Ende in das Nadelöhr einfädeln, dann 2 extralange Stroh-Zuschnitte (20 cm) auffädeln, den Faden unterhalb des nächsten oberen Arms um den Reif wickeln und mit einem Knoten fixieren. Die beiden Stroh-Zuschnitte sollen ein nach unten hängendes Dreieck bilden. Mit weiteren extralangen Stroh-Zuschnitten fortfahren, sodass ein Stroh-»Rock« rund um den Reif entsteht (wenn der Faden ausgeht, ein weiteres Stück anknüpfen).

14 Vom Baumwollgarn für jedes Strohdreieck 1 Faden (je 50 cm) abschneiden und jeweils an der hängenden Spitze der Dreiecke befestigen. An jedem Faden erneut 2 extralange Stroh-Zuschnitte zu einem

hängenden Dreieck auffädeln, sodass ein weiterer Stroh-»Rock« entsteht.

Anbringen der Pompons

15 Die Sets aus losen Lagen der schwarzen Röhren-Pompons zurechtlegen. Vom Baumwollgarn 8 Fäden (je 40 cm) abschneiden. Je 1 Faden zwischen zwei Stroh-Zuschnitten um die Fäden der hängenden Spitzen der unteren Dreiecke wickeln. In die Nadel einfädeln, mittig doppelt nehmen und verknoten, dann jeweils 1 mittellangen 6-cm-Stroh-Zuschnitt auffädeln und je 30 Lagen der schwarzen Röhren-Pompons. 1 kleines Quadrat aus mehreren Lagen Seidenpapier ausschneiden, auffädeln und in den Pompon schieben. Die Nadel entfernen und die Fadenenden mit Doppelknoten sichern. Darauf achten, die Pompons nicht zu fest anzubringen. Zwischen unterem Stroh-Dreieck und abschließendem Stroh-Zuschnitt sollte etwas Platz sein, damit die Pompons leicht baumeln.

16 Nun die 8 senfbraunen (20-lagigen) Röhren-Pompons zwischen oberen und unteren Stroh-Dreiecken befestigen. Hierfür jeweils einen der beiden Pompon-Fäden oberhalb und einen unterhalb einer Dreiecks-Spitze um den Reif führen und mit Doppelknoten auf der Rückseite des Pompons sichern.

17 Zuletzt die 8 pinkfarbenen Röhren-Pompons an den Stellen am Reif befestigen, an denen sich obere und untere Arme treffen. Je einen ihrer Fäden über und einen unter den Reif führen und mit Doppelknoten auf der Rückseite des Pompons sichern. Überschüssige Fadenenden abschneiden.

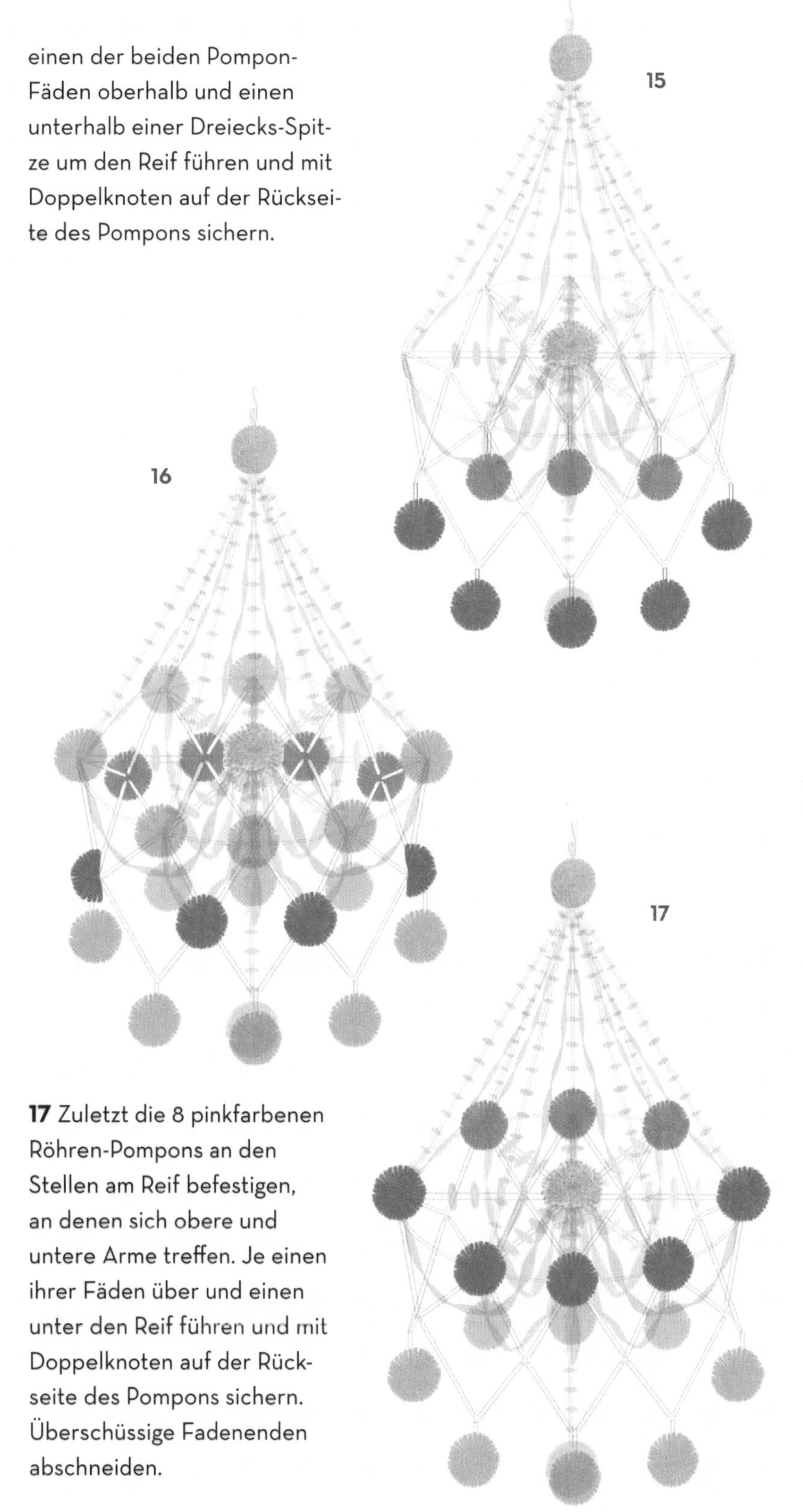

Moderne PAJĄKI

TEXTILES MOBILE

Ich liebe es, Kurzwarenläden zu besuchen und nach hübschen Borten, Pailletten, Seidenblumen, Quasten und vielem mehr Ausschau zu halten. Dieser *Pająk* gelingt sogar den Skeptischen, die denken: »Das kann ich nicht«. Dieses Design lässt sich in weniger als einer Stunde fertigstellen! Ich finde, die Fransen und die übergroßen Seidenblumen verleihen diesem Mobile einen einzigartigen Look. Man kann auch andere textile Schätze verwenden. Eine wunderschöne, elegante Dekoration fürs Schlaf- oder Wohnzimmer – oder auch für eine Hochzeitsfeier!

Höhe 40 cm • **Breite** 30 cm + Blumen

Das wird benötigt

Messingreif, 30 cm Durchmesser
Bleistift
etwa 2 Laufmeter Zickzackborte, 2 cm breit
Schere
Klebstoff
etwa 1,5 Laufmeter Fransen-Borte (meine hatte 10 cm lange Fransen)
dünner Blumendraht
Kneifzange
5 Seidenblumen (ich habe übergroße verwendet, etwa 15 cm groß)

Tipp: Dieser *Pająk* mit einer dekorativen Mischung aus Fransen-Borten und Seidenblumen lässt sich sehr leicht herstellen. Einfach im Kurzwarengeschäft vor Ort auswählen, was einem gefällt!

Struktur des PAJĄK

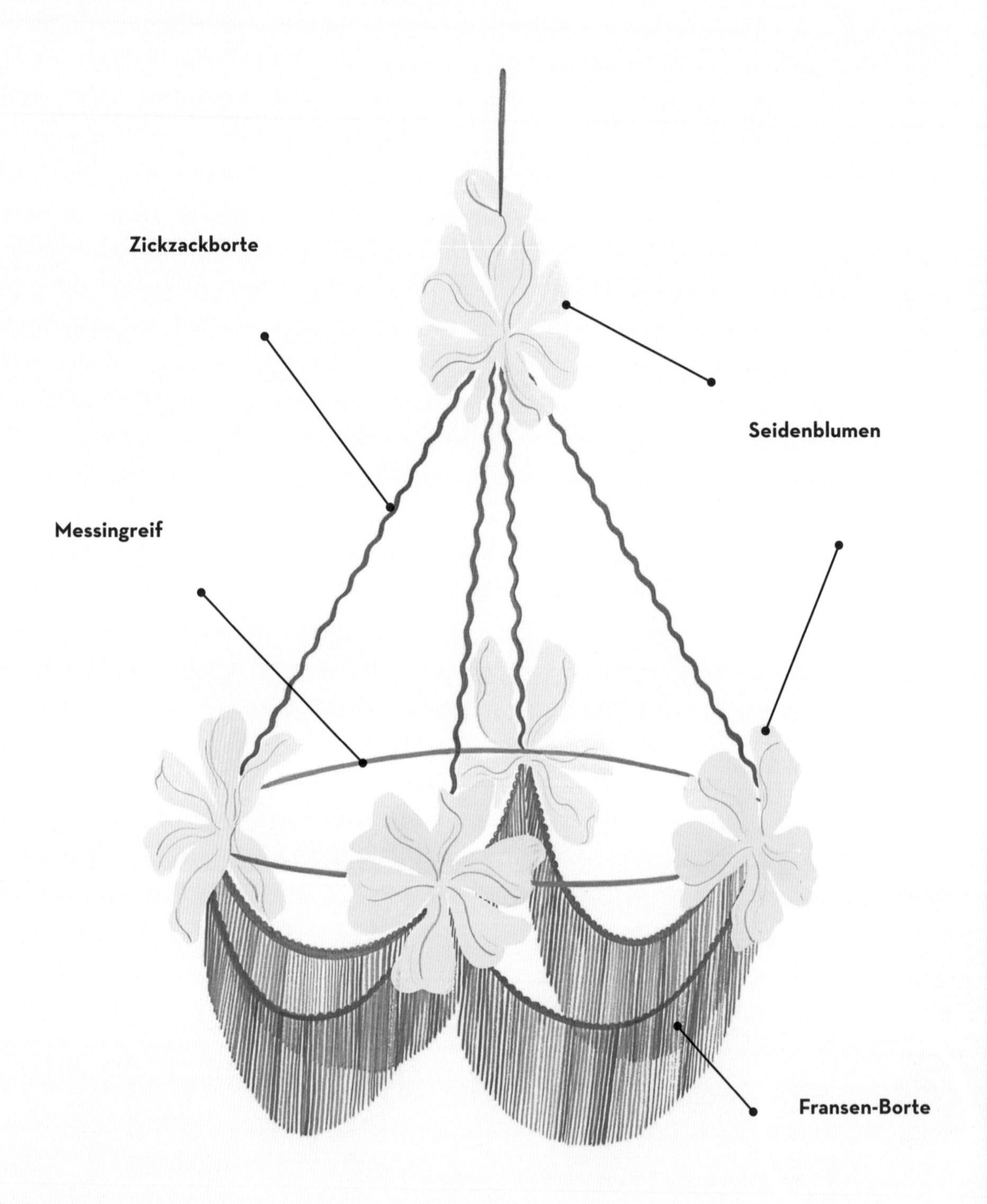

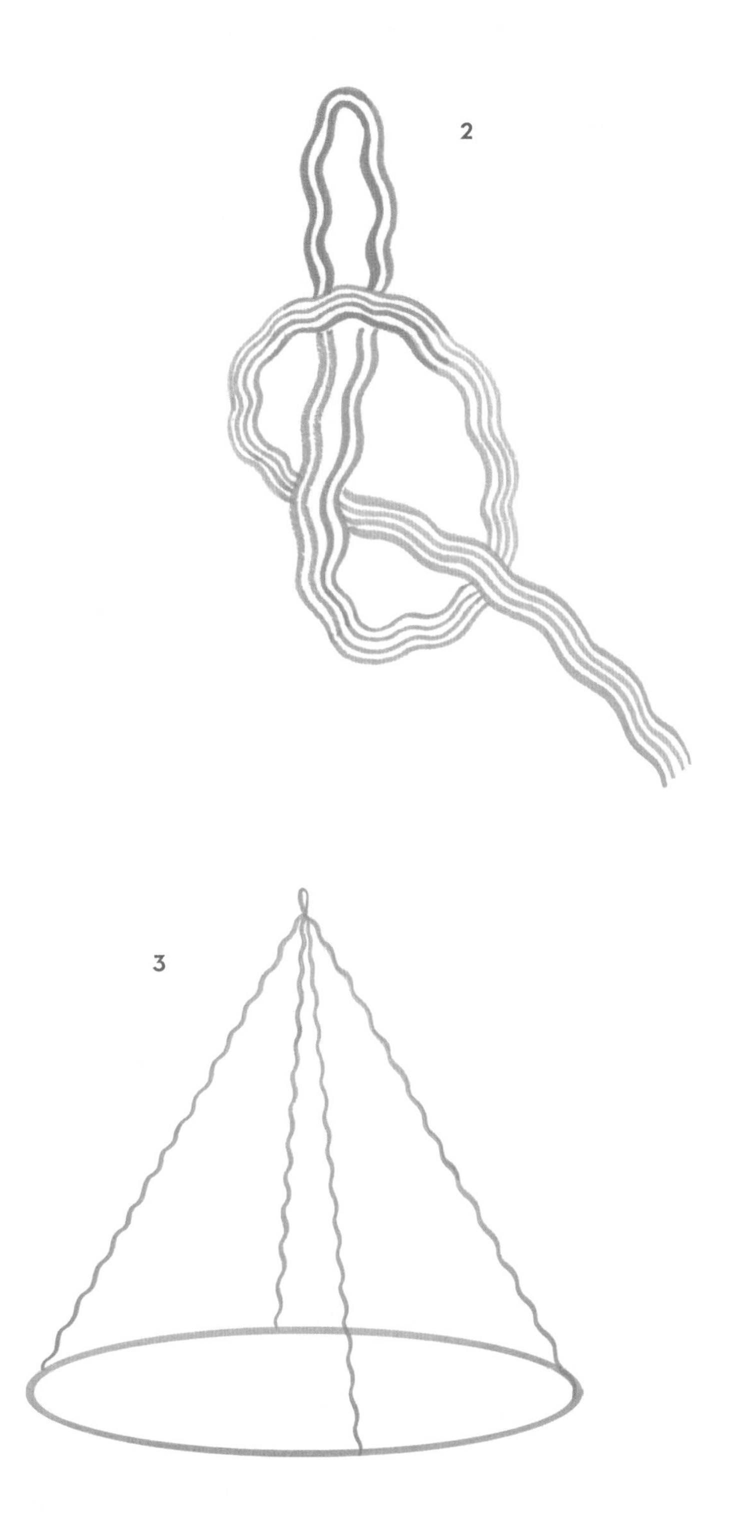

1 Am Messingreif 4 symmetrisch im Quadrat angeordnete Bleistiftmarkierungen an den Viertelpunkten anbringen.

Obere Arme

2 Von der Zickzackborte 2 Bänder (je 70 cm) abschneiden. Mittig doppelt genommen zu einer Schlaufe falten und oben (etwa 3 cm unterhalb der Faltung) einen festen Knoten binden, sodass 4 hängende Arme entstehen. Darauf achten, dass alle Arme die gleiche Länge haben.

3 Das Ende jedes Arms an den Markierungen am Metallreif anbringen, hierfür etwas Kleber auftragen, das Band um den Reif wickeln und gut andrücken, bis es sicher hält.

Die Struktur aufhängen, um die nächsten Arbeitsschritte zu erleichtern.

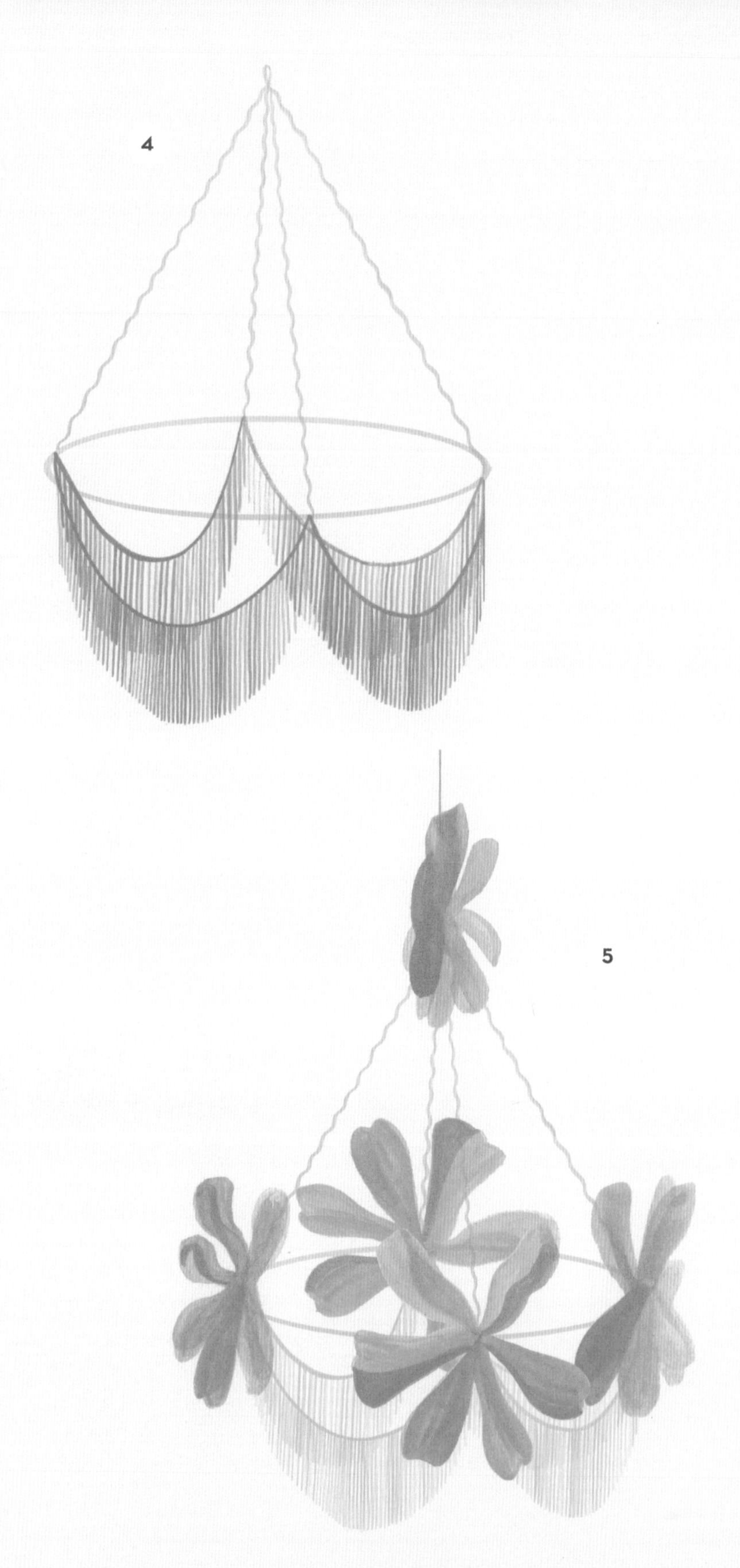

Untere Arme

4 Ein Ende der Fransenborte unter einem der oberen Arme am Reif befestigen. Hierfür 1 kurzes Stück (2 cm) Blumendraht mit der Kneifzange abzwicken, an einem Ende der Borte durch deren Rand führen und den Draht um den Reif wickeln. Die Borte locker zum nächsten Viertelpunkt führen (so locker, dass sich eine tiefe Welle bildet) und mit einem weiteren Stück Draht befestigen. Die restliche Borte ebenso befestigen. Dabei darauf achten, dass alle Wellen auf der gleichen Höhe hängen.

5 Zum Schluss mit kurzen Stücken Draht die Seidenblumen anbringen – 1 am oberen Aufhängeknoten und 4 außen am Reif, an den Viertelpunkten, wo sich untere und obere Arme treffen.

CHRISTBAUM-SCHMUCK

Helena hat mir gezeigt, wie man diese kleine Versionen von *Pająki* herstellt! In der Vergangenheit waren sie ein beliebter Christbaumschmuck, aber leider ist diese Tradition im Aussterben begriffen. Früher kamen die Familien in der Adventszeit zusammen, um verschiedene Arten von Weihnachtsschmuck zu basteln. Also lasst uns das schöne Ritual wiederbeleben und unsere Bäume mit diesen hübschen Mini-*Pająki* schmücken!

Höhe 15 cm • **Breite** 7 cm

Das wird benötigt

Roggen- oder Papierstroh
Lineal
Schere
Seidenpapier
Zirkel
Bleistift
6-cm-Nähnadel
Baumwollgarn
Alufolie
fester, farbiger Karton (7 x 7 cm)
26 farbige Perlen, 4–5 mm

Das ist vorzubereiten

Stroh-Zuschnitte:
25 (3 cm)

Set aus 20 losen Lagen für die Nelkenblüte (Seite 60):
1 (4 cm)

Struktur des PAJĄK

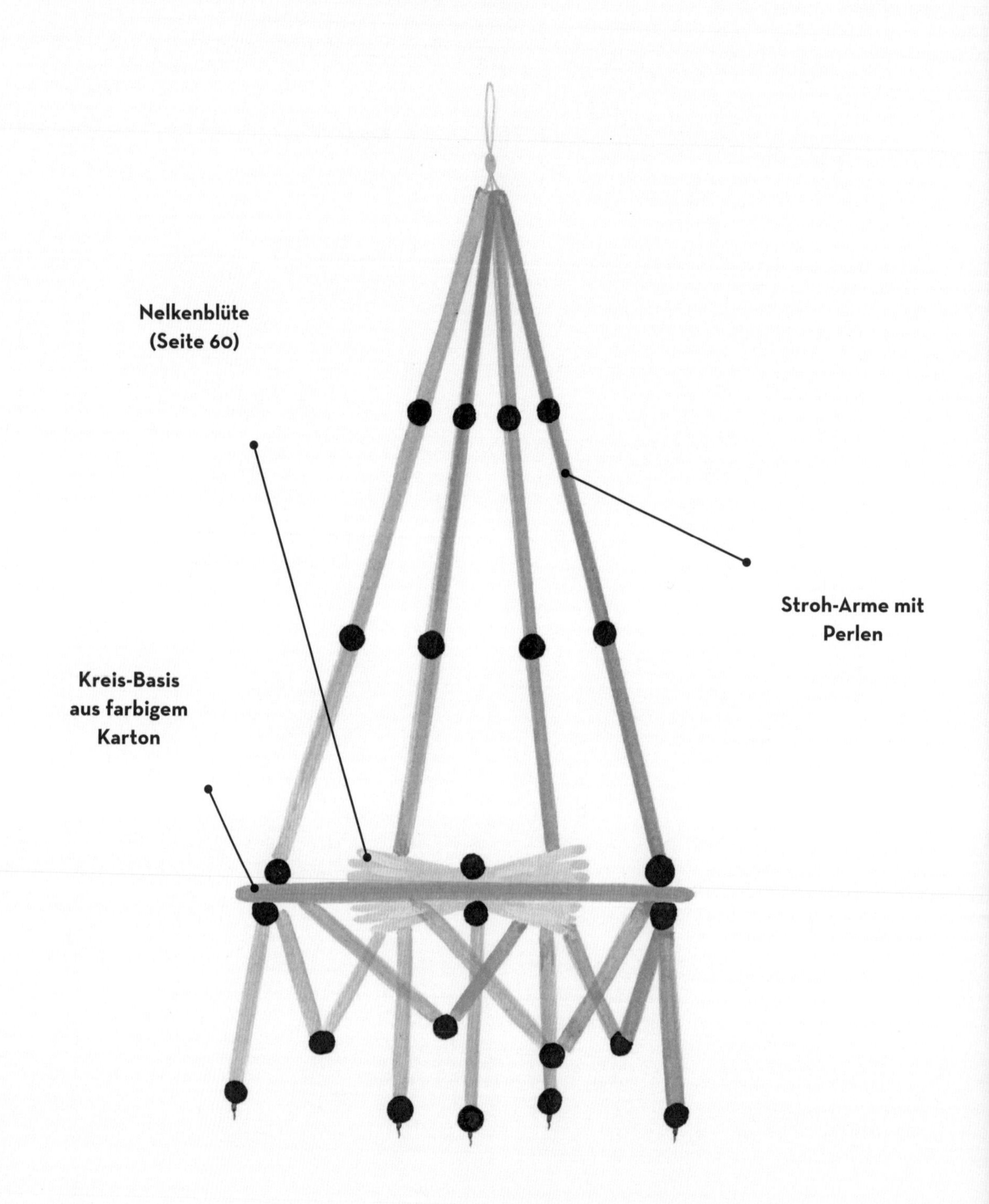

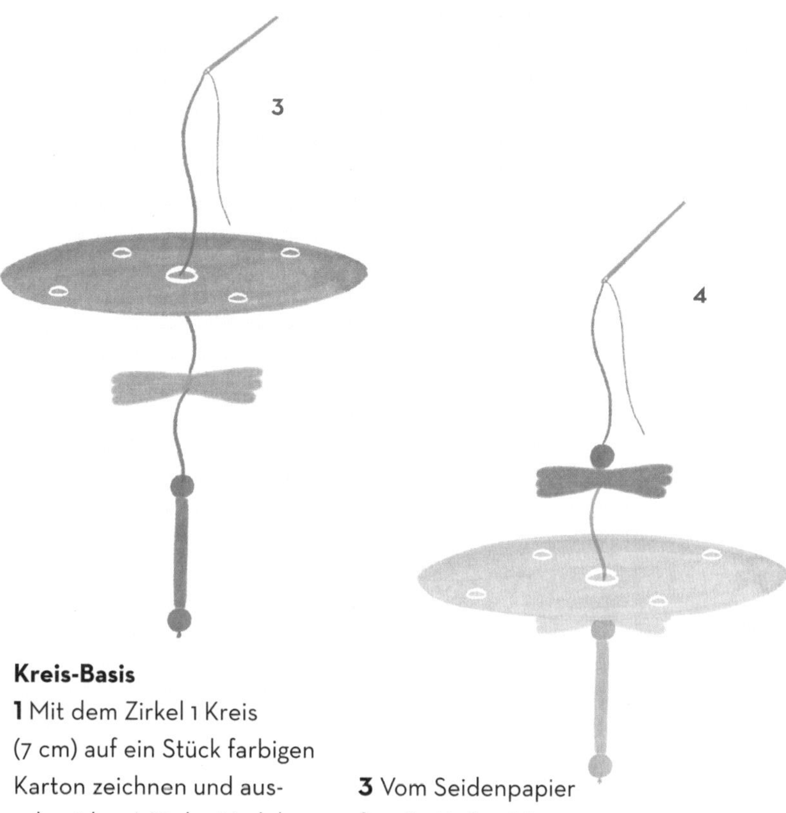

Kreis-Basis
1 Mit dem Zirkel 1 Kreis (7 cm) auf ein Stück farbigen Karton zeichnen und ausschneiden. Mit der Nadel 4 Löcher hineinstechen, symmetrisch im Quadrat auf den Viertelpunkten des Kreises verteilt, jeweils 5 mm vom Rand des Kreises entfernt. Ein weiteres Loch in die Mitte des Kreises stechen (an der Einstichstelle des Zirkels).

Mittlere Arme
2 Vom Baumwollgarn 1 Faden (12 cm) abschneiden. Unten einen Knoten binden, 1 kleines Quadrat aus Alufolie ausschneiden und es als Stopper um den Knoten wickeln. 1 Perle auffädeln, dann 1 Stroh-Zuschnitt, dann 1 weitere Perle.

3 Vom Seidenpapier für die Nelkenblüte 10 lose Lagen übereinander legen. Das Garn in das Nadelöhr einfädeln, dann mit der Nadel mittig durch alle 10 Lagen und dann durch den Kartonkreis stechen.

4 Die restlichen 10 Lagen Seidenpapier ebenfalls auffädeln und dann 1 Perle. Perle und Lagen nach unten schieben, sodass sie auf dem Kartonkreis aufliegen. Oben einen Doppelknoten binden und die Fadenenden abschneiden. Den Knoten mit 1 kleinen Quadrat (1 cm) aus Alufolie kugelförmig umwickeln.

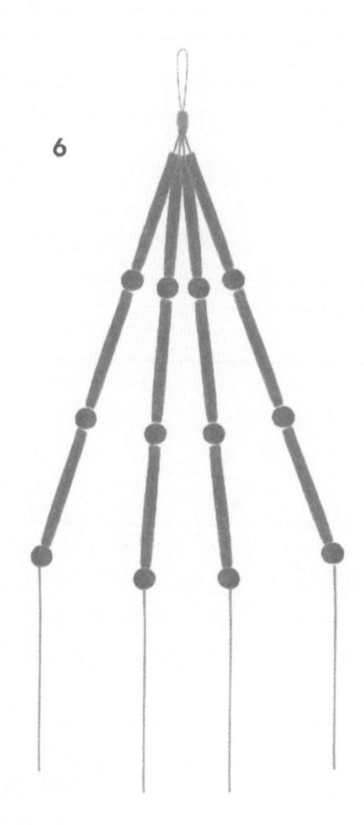

Herstellung der oberen und unteren Arme

5 Vom Baumwollgarn 2 Fäden abschneiden (je 50 cm). Beide mittig doppelt nehmen und 5 cm vom gefalteten Ende entfernt mit einem Doppelknoten zusammenbinden, um eine Schlaufe zu bilden. Diese Schlaufe wird benötigt, um den *Pająk* aufzuhängen. Die 4 losen Fadenenden bilden die Arme.

6 Ein erstes Fadenende in das Nadelöhr einfädeln und 3 Stroh-Zuschnitte auffädel (mit je 1 Perle dazwischen und mit einer Perle abschließen).

7 Nach dem Auffädeln des ersten oberen Armes die Nadel nicht entfernen, sondern sie durch eines der Löcher im Kartonkreis führen und dann 1 Perle und 1 Stroh-Zuschnitt auffädeln. Mit 1 weiteren Perle abschließen und diese mit einem Doppelknoten sichern. So entsteht ein frei baumelnder unterer Arm. Überschüssige Fadenenden abschneiden. 1 kleines Quadrat Alufolie als Stopper um den Knoten wickeln.

Die restlichen Arme auf die gleiche Weise gestalten.

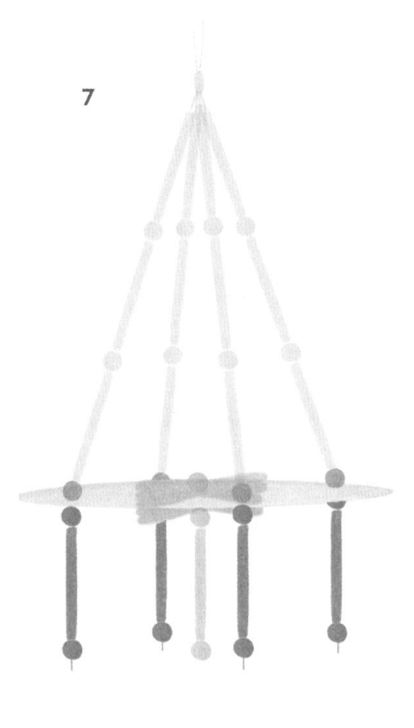

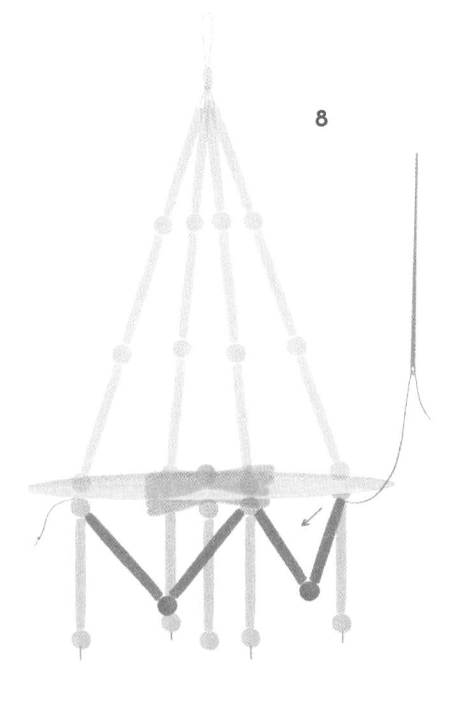

Untere Borte

8 Vom Baumwollgarn 1 Faden abschneiden (50 cm). Ein Ende des Fadens zwischen dem Kartonkreis und einer der Perlen am oberen Ende eines der unteren Arme befestigen. Das lose Ende in das Nadelöhr einfädeln, dann 1 Stroh-Zuschnitt, 1 Perle und 1 weiteren Stroh-Zuschnitt auffädeln, sodass eine hängende Spitze entsteht. Den Faden oberhalb der Perle des nächsten unteren Arms mit dem Kartonkreis verbinden, erneut unterhalb des Kreises. So fortfahren, bis rundum eine Borte aus hängenden Spitzen entstanden ist.

9 Zuletzt das Fadenende direkt unter dem Kartonkreis an der Stelle befestigen, an der man begonnen hat, und es mit einem Doppelknoten sichern.

Tipp: Mit diesem Design kann man wunderbar experimentieren. Anstelle von Stroh können auch nur Perlen verwendet werden, oder man nutzt anstatt des Kartonkreises eine andere Form, wie etwa einen Stern oder was immer man möchte! Es lassen sich auch zusätzliche Arme und mehr Dekorationen hinzufügen.

BABY-MOBILE

Dieses zarte, farbenfrohe Mobile eignet sich perfekt für ein Kinderzimmer. Man kann es mit Spielzeugen, Zeichentrickfiguren, Perlen oder Bastelmaterial verzieren. Die Vögel auf meinem *Pająk* wurden von traditionellen Vogelformen aus der Volkskeramik inspiriert.

Höhe 50 cm • **Breite** 30 cm

Das wird benötigt

farbiges Tonpapier
Lineal
Schere
2 farbige Papp-Trinkhalme, je 30 cm lang
Holzstangen, 5 mm Durchmesser
Bleistift
Baumwollgarn
Zickzackborte
Kleber
Nähnadel
17 Filzbällchen
Krepp-Papier in vier verschiedenen Farben

Das ist vorzubereiten

Tonpapier-Vögel aus Tonpapier (siehe Vorlage auf Seite 190):
20 Vögel

Papp-Trinkhalm-Zuschnitte:
10 (in unterschiedlicher Länge, 3–8 cm)

Hinweis: Ich habe für meine Vögel 7 verschiedene Tonpapierfarben verwendet. Jeder Vogel besteht aus 2 Lagen, sodass man für jede Seite eine andere Farbe wählen kann.

Struktur des PAJĄK

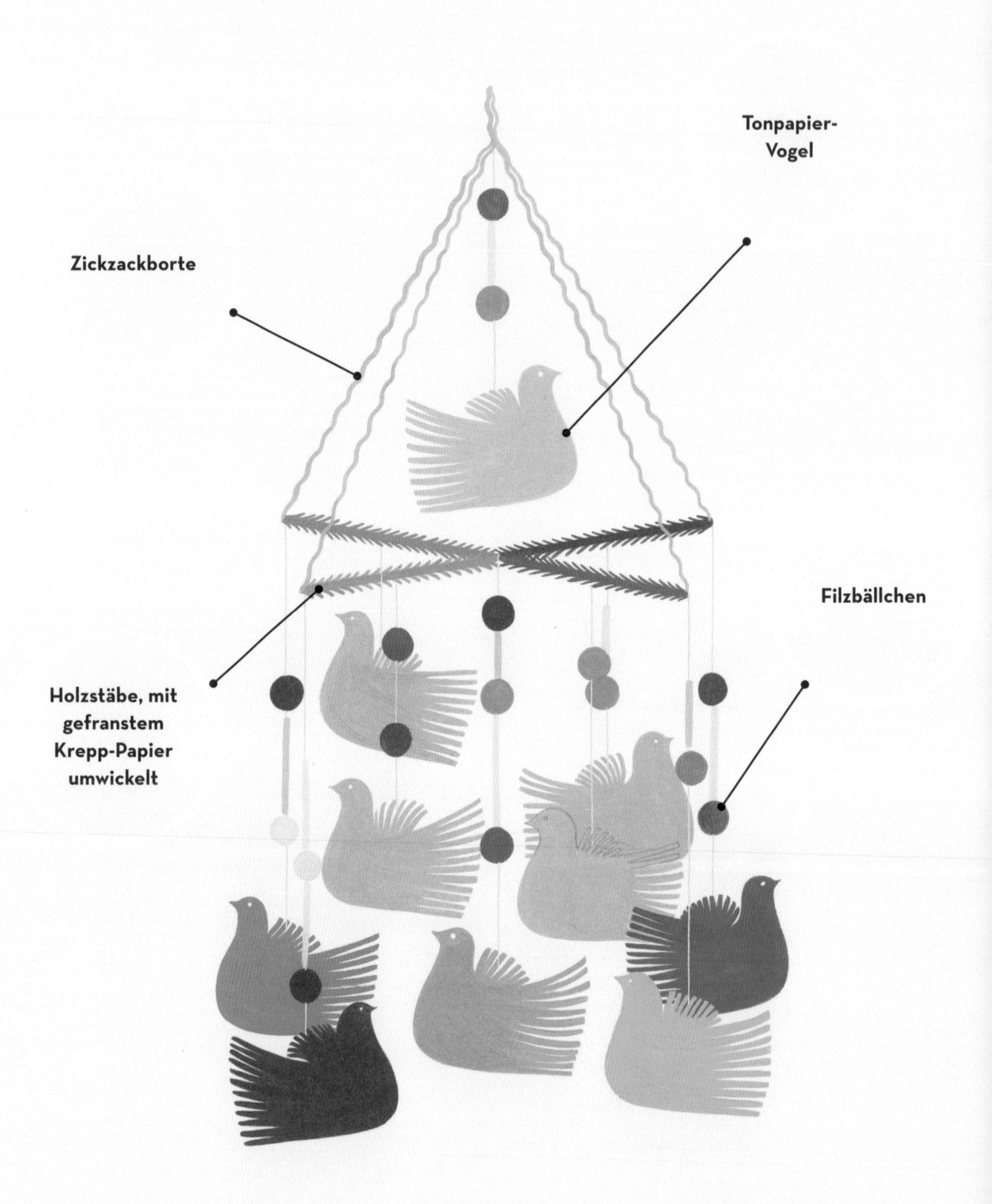

Basis-Holzkreuz

1 Die Mitte jedes Holzstabes mit Bleistift markieren. Vom Baumwollgarn 1 Faden abschneiden (30 cm). Beide Holzstäbe aneinanderlegen, den Faden in der Mitte um die Markierungen wickeln und mit einem festen Doppelknoten sichern. Die Holzstäbe auseinanderspreizen, sodass sie eine Kreuzform bilden, dann den Faden mehrfach um alle 4 Arme wickeln (über den ersten Stab, unter den zweiten usw.), bis die Kreuzform stabil ist. Mit einem festen Doppelknoten sichern.

Obere Arme

2 Von der Zickzackborte 2 lange Stücke abschneiden (je 70 cm), beide mittig doppelt nehmen und etwa 5 cm von den gefalteten Enden entfernt oben mit einem Doppelknoten verbinden, um eine Schlaufe zu bilden, von der 4 Arme ausgehen.

3 Überprüfen, ob die Länge jedes Arms gleich ist, dann die losen Enden der Zickzackborte um die 4 Enden des Holzkreuzes wickeln und festkleben.

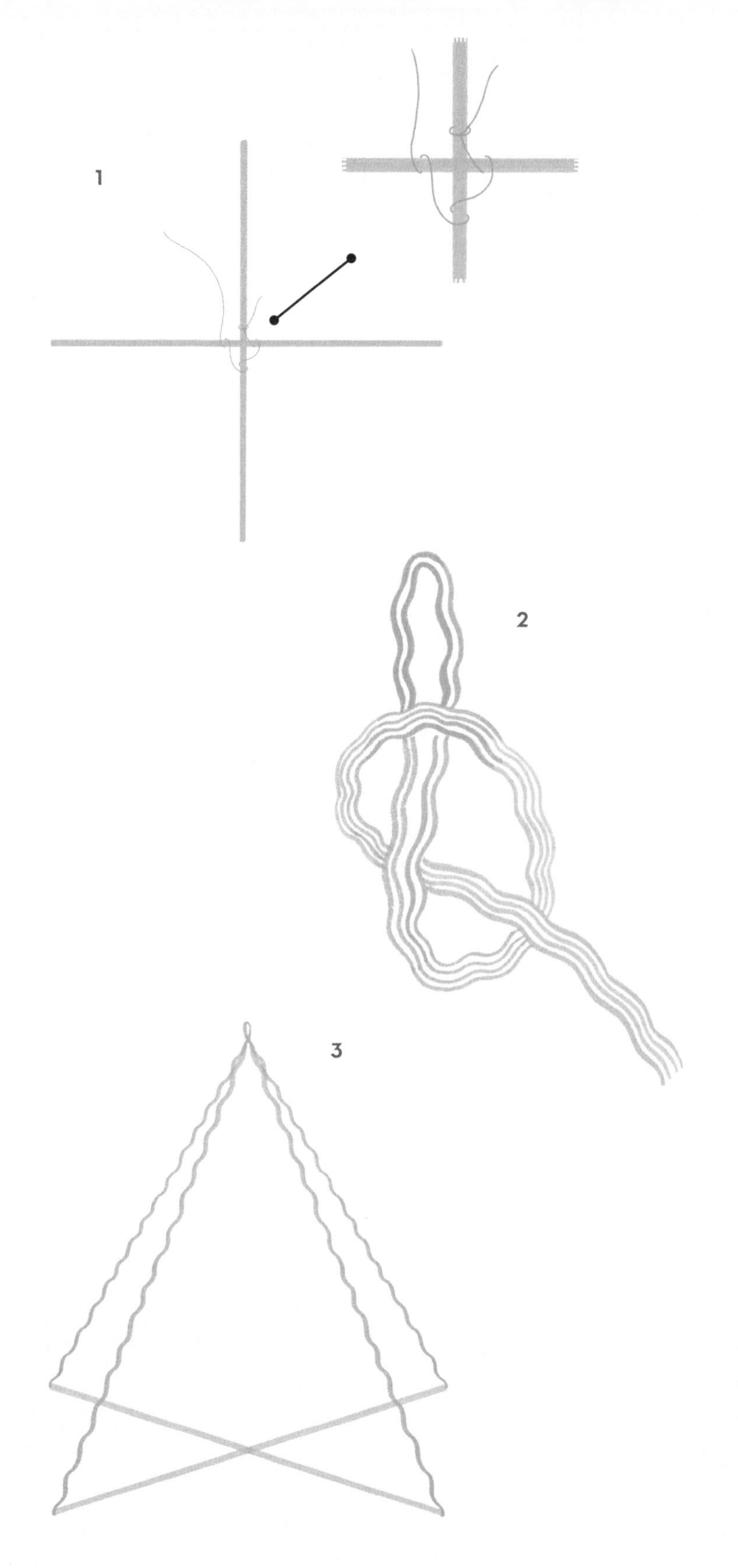

Zweifarbige Vögel

4 Vom Baumwollgarn 10 Fäden abschneiden (je 35 cm). Die 20 farbigen Tonpapier-Vögel flach auf der Arbeitsfläche ausbreiten. Kleber auf einen der Vögel auftragen, dabei die Federbereiche frei lassen (wie auf der Schablone markiert). Einen ersten Faden so auf die Klebefläche legen, dass etwa 4 cm vom Faden im Inneren des Vogels liegen, und dann 1 weiteren Vogel (in einer anderen Farbe) daraufkleben.

5 Beide Lagen fest zusammendrücken. Bis zu den gestrichelten Linien mit der Schere Fransen einschneiden, um die Federn auf dem Rücken und am Schweif des Vogels zu erzeugen. Darauf achten, den Faden, der sich zwischen den Lagen befindet, nicht abzuschneiden. Die beiden Lagen der Federn leicht auseinanderziehen, damit sie schön flauschig aussehen. Mit der Nadel ein Loch als Auge einstechen. 9 weitere Vögel auf die gleiche Weise anfertigen.

6 Sobald alle Vögel fertig sind, jeweils auf ihre Fäden Filzbällchen und bunte Papp-Trinkhalm-Zuschnitte auffädeln. Man kann einige von ihnen länger halten und mit mehr Stroh-Zuschnitten und Filzbällchen verzieren, einige kürzer, mit nur 1 Filzbällchen.

Das Holzkreuz an der Zickzackborten-Schlaufe aufhängen, damit es einfacher ist, im Folgenden die Vögel anzubringen.

7 Ganz oben einen ersten Vogel zwischen den oberen Armen befestigen, mittig vom oberen Knoten der Schlaufe herabhängend. Es sollte einer mit einem kürzeren Faden sein. Hierfür den Faden in

das Nadelöhr einfädeln, 2-mal durch den oberen Knoten führen und mit einem Doppelknoten sichern. Dann in der Mitte des Holzkreuzes einen Vogel anbringen; dieser könnte an einem längeren Faden befestigt sein. Dann am Ende jedes Kreuzarms einen Vogel anbringen, in unterschiedlicher Höhe, an recht langen Fäden.

8 Nun jweweils 1 Vogel in der Mitte jedes Kreuzarms befestigen, mit kürzeren Fäden. Es empfiehlt sich, sie zunächst nur mit einem losen Knoten festzubinden, bis man sich über die Platzierung sicher ist, und dann erst mit Doppelknoten zu fixieren. Überschüssige Fadenenden abschneiden.

Verkleiden der Kreuzarme

9 Aus unterschiedlich farbigen Krepp-Papieren 4 lange Streifen (je 30 cm lang und 3 cm breit) zuschneiden. In jeden Streifen mit der Schere entlang einer Kante dicht nebeneinander 2 cm lange Fransen einschneiden. Das Ende eines ersten Streifens an das äußere Ende eines der Kreuzarme kleben und den Arm bis zum mittleren Teil des Kreuzes damit umwickeln, dann das lose Ende in der Kreuzmitte ankleben.

10 Jeden Arm auf die gleiche Weise mit einem andersfarbigen Streifen verkleiden. So werden alle Knoten verdeckt und das Mobile sieht aus wie ein buntes Karussell, wenn das Baby nach oben schaut.

PASTA-PAJĄK FÜR KINDER

Wer hat in der Schule nicht gerne Nudelketten gebastelt? Die Herstellung eines Pasta-Mobiles ist eine perfekte Möglichkeit, mehr Zeit mit den Kindern zu verbringen, die dabei jede Menge Spaß haben und gleichzeitg ihre feinmotorischen Fähigkeiten verbessern.

Höhe 115 cm • **Breite** 45 cm

Das wird benötigt

Krepp-Papier in unterschiedlichen Farben
Lineal
Schere
Tonpapier in unterschiedlichen Farben
5-cm-Kreisstanzer (optional)
Zirkel
Bleistift
Alufolie
Wolle in unterschiedlichen Farben
Pompon-Vorlage (Seite 190)
Metallreif, 40 cm Durchmesser
Kleber
Baumwollgarn
Textilband, 5 mm breit

Getrocknete Nudeln:
- kurze Röhrchen, etwa 1 cm lang (Canneroni)
- lange Röhrchen, etwa 4 cm lang (Tortiglioni)
- Schmetterlingsnudeln (Farfalle)

Plastiknadel für Kinder
4 Pfeifenputzer in unterschiedlichen Farben

Das ist vorzubereiten

Krepp-Papier-Schmetterlinge (Seite 33):
9 (5 cm)
8 (6 cm)
17 (7 cm)
9 (8 cm)

Einfache Tonpapier-Kreise (Seite 33):
8 (5 cm)

Alufolien-Kugeln:
237 (aus 3 cm großen Alufolien-Quadraten, zu Kugeln geknüllt)

Woll-Pompons (Seite 64):
7 (8 cm)

Woll-Quasten (Seite 65):
8 (12 cm)

Struktur des PAJĄK

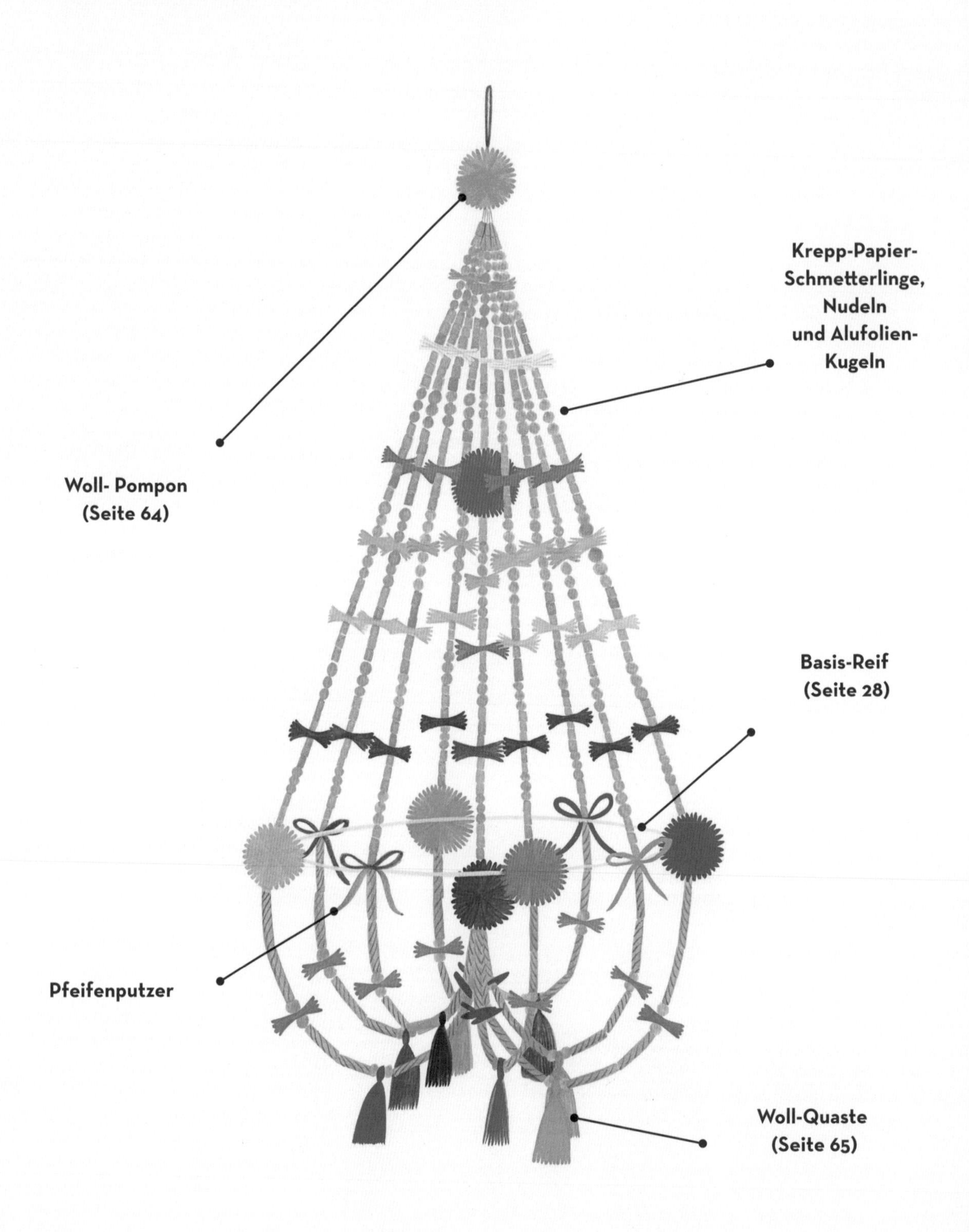

1

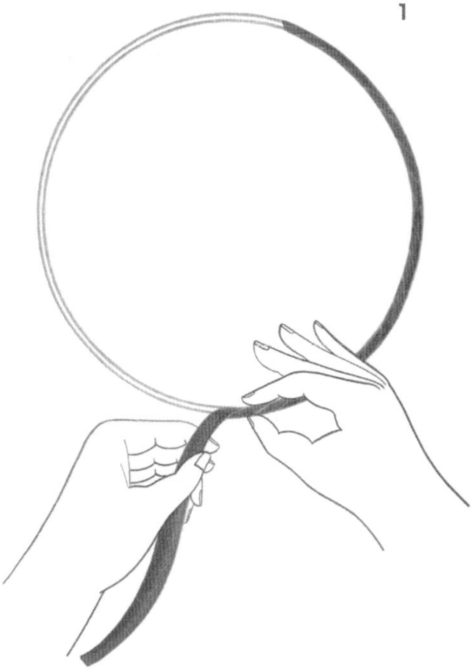

1 Den Reif mit Krepp-Papier verkleiden (Seite 28).

Obere Arme

2 Vom Baumwollgarn 8 Fäden (je 90 cm) abschneiden. Mit einem Bleistift 8 Markierungen auf dem Reif anbringen, zuerst an den Viertelpunkten und dann mittig zwischen den Viertelmarkierungen. An jedem markierten Punkt einen Faden anbringen (1-mal umwickeln und mit Doppelknoten sichern).

4

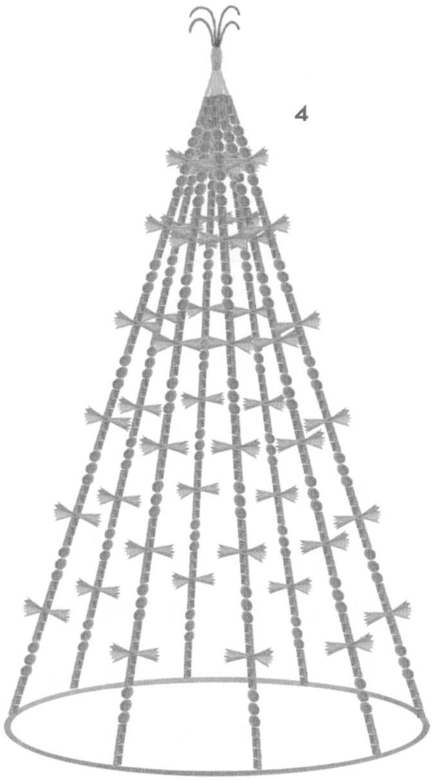

3 Da es sich um einen *Pająk* für Kinder handelt, können die jungen Bastler jeden Arm so kunterbunt gestalten, wie sie möchten. Die Reihenfolge, die ich eingehalten habe, ist: 6 kurze Nudelröhrchen, 3 Alufolien-Kugeln, 3 kurze Nudelröhrchen, 1 marineblauer 8-cm-Papier-Schmetterling, 3 kurze Nudelröhrchen, 3 Alufolien-Kugeln, 3 kurze Nudelröhrchen, hellblauer 7-cm-Papier-Schmetterling, 3 kurze Nudelröhrchen, 3 Alufolien-Kugeln, 1 Schmetterlingsnudel, 3 Alufolien-Kugeln, 3 kurze Nudelröhrchen, 1 rosa 6-cm-Papier-Schmetterling, 3 kurze Nudelröhrchen, 1 Papier-Schmetterling, 3 kurze Nudelröhrchen, 3 Alufolien-Kugeln, 3 kurze Nudelröhrchen, cremefarbener 5-cm-Papier-Schmetterling, 3 kurze Nudelröhrchen, 3 Alufolien-Kugeln, 1 Schmetterlingsnudel, 3 Alufolien-Kugeln, 3 kurze Nudelröhrchen.

Tipp: Die Schmetterlingsnudeln brechen beim Durchstechen leicht, deshalb brauchen die Kinder dabei vielleicht die Hilfe eines Erwachsenen.

4 Sobald alle 8 Arme aufgefädelt sind, sie oben zusammenfassen und mit einem festen Doppelknoten verbinden. Den *Pająk* aufhängen, damit man leichter an den unteren Teilen arbeiten kann.

Untere Arme

5 Vom Baumwollgarn 8 Fäden abschneiden (je 70 cm). Jeden Faden mit einem Ende an einem Achtelpunkt des Reifs befestigen, unterhalb der oberen Arme. Ich habe jeden Arm folgendermaßen verziert: 2 lange Nudelröhrchen, 1 Alufolien-Kugel, 7-cm-Papier-Schmetterling, 1 Alufolien-Kugel, 2 lange Nudelröhrchen, 1 Alufolien-Kugel, 1 Woll-Quaste, 1 Alufolien-Kugel, 2 lange Nudelröhrchen, 1 Alufolien-Kugel, 1 Tonpapier-Kreis, 1 Alufolien-Kugel, 2 lange Nudelröhrchen. Nach dem Auffädeln des ersten unteren Arms das lose Ende vorübergehend lose an den Reif binden. Sobald der zweite Arm aufgefädelt ist, beide Arme zusammenbinden. Die übrigen Arme ebenso gestalten und paarweise verbinden.

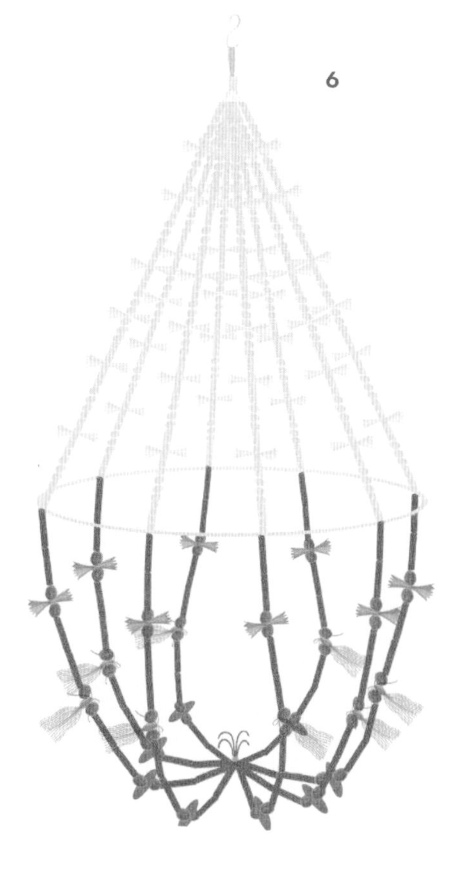

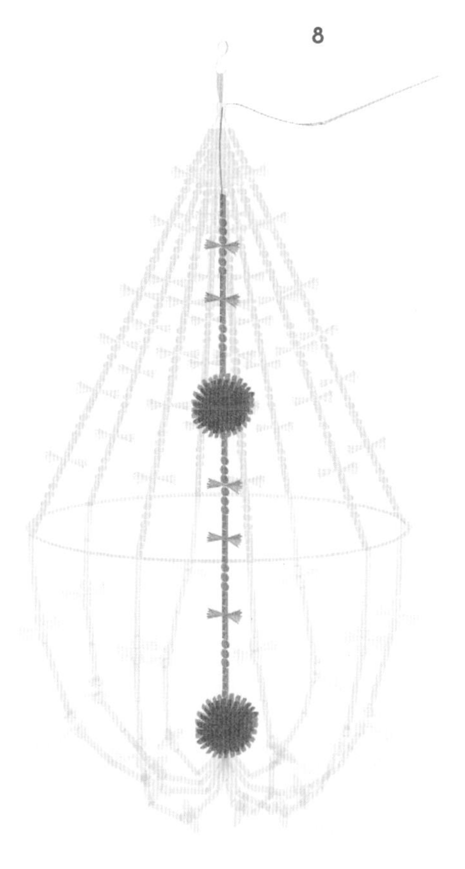

6 Dann alle 8 Arme unten zusammenfassen und mit einem festen Doppelknoten fixieren.

Mittlerer Arm

7 Vom Baumwollgarn 1 sehr langen Faden (1,8 m) abschneiden. In das Nadelöhr einfädeln, mittig doppelt nehmen und die Enden unten mit einem Doppelknoten verbinden. 1 kleines Stück Alufolie als Stopper um den Knoten wickeln. Die Nadel von unten durch den Knoten der unteren hängenden Arme führen. Die Nadel durch die Mitte eines Woll-Pompons stechen und diesen auf dem Doppelfaden nach unten bis zum Knoten schieben.

8 Dann die Verzierungen auf den mittleren Arm auffädeln. Ich habe verwendet: 6 kurze Nudelröhrchen, 3 Alufolien-Kugeln, 3 kurze Nudelröhrchen, 1 grüner 8-cm-Papier-Schmetterling, 3 kurze Nudelröhrchen, 3 Alufolien-Kugeln, 3 kurze Nudelröhrchen, 1 rosa 7-cm-Papier-Schmetterling, 3 kurze Nudelröhrchen, 3 Alufolien-Kugeln, 1 Schmet-

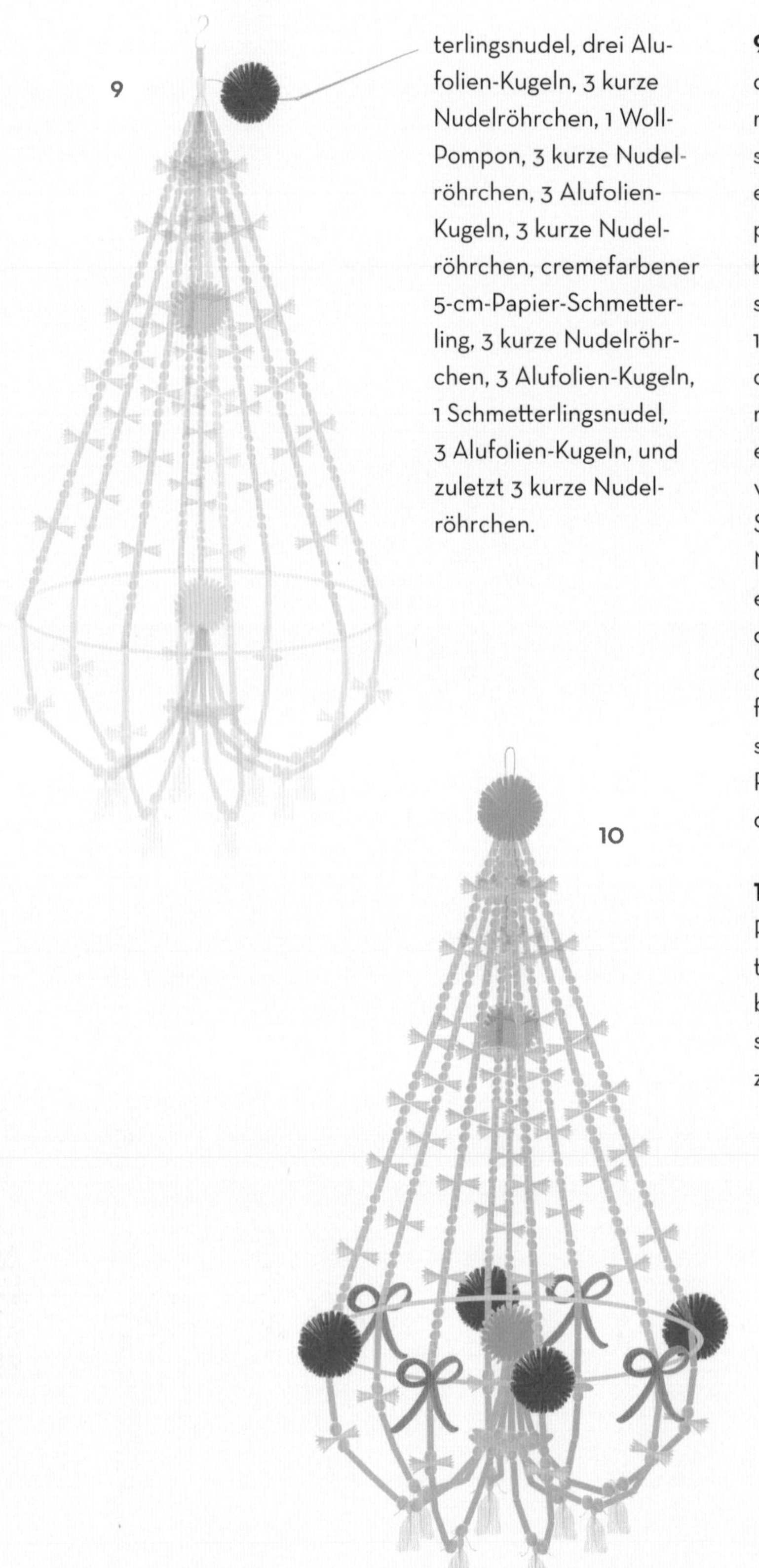

terlingsnudel, drei Alufolien-Kugeln, 3 kurze Nudelröhrchen, 1 Woll-Pompon, 3 kurze Nudelröhrchen, 3 Alufolien-Kugeln, 3 kurze Nudelröhrchen, cremefarbener 5-cm-Papier-Schmetterling, 3 kurze Nudelröhrchen, 3 Alufolien-Kugeln, 1 Schmetterlingsnudel, 3 Alufolien-Kugeln, und zuletzt 3 kurze Nudelröhrchen.

9 Die Nadel 2-mal durch den oberen Knoten führen, damit der Arm fest sitzt. Die Nadel durch einen weiteren Woll-Pompon führen und diesen bis zum Knoten hinunterschieben. Vom Textilband 1 Stück (30 cm) abschneiden, mittig doppelt nehmen und die Enden mit einem Doppelknoten verbinden, sodass eine Schlaufe entsteht. Die Nadel abschneiden und einen der Fäden durch die Schlaufe fädeln, mit dem anderen Faden mit festem Doppelknoten sichern. Überschüssige Fadenenden abschneiden.

10 Die letzten 4 Woll-Pompons an den Viertelpunkten am Reif befestigen und dazwischen farbige Pfeifenputzer-Schleifen anbringen.

HOCHZEITS-KRANZ

Dies ist eine einfache, minimalistische Struktur, die mit Bändern und echten Pflanzen aufgebaut wird. Wählen Sie die Blumen, die Sie lieben, in Ihren Lieblingsfarben. Hier habe ich Hortensien und Schleierkraut wegen ihrer edlen Farben und Texturen gewählt. Ich habe auch schon *Pająki* mit Pfingstrosen und Disteln geschmückt und fand diese auch im getrockneten Zustand toll. Es ist wie eine lebende Skulptur. Das wird als Schmuckstück auf jeder Hochzeit wunderschön aussehen. Herzlichen Glückwunsch!

Höhe 90 cm • **Breite** 70 cm

Das wird benötigt

Metallreif, 50 cm Durchmesser
etwa 15 Laufmeter Textilband, 25 mm breit, in zwei unterschiedlichen Farben (ich habe helles und dunkles Grün verwendet)
Schere
Maßband
Bleistift
frische Blumen nach Wunsch
starker Textilkleber
Blumendraht

Struktur des PAJĄK

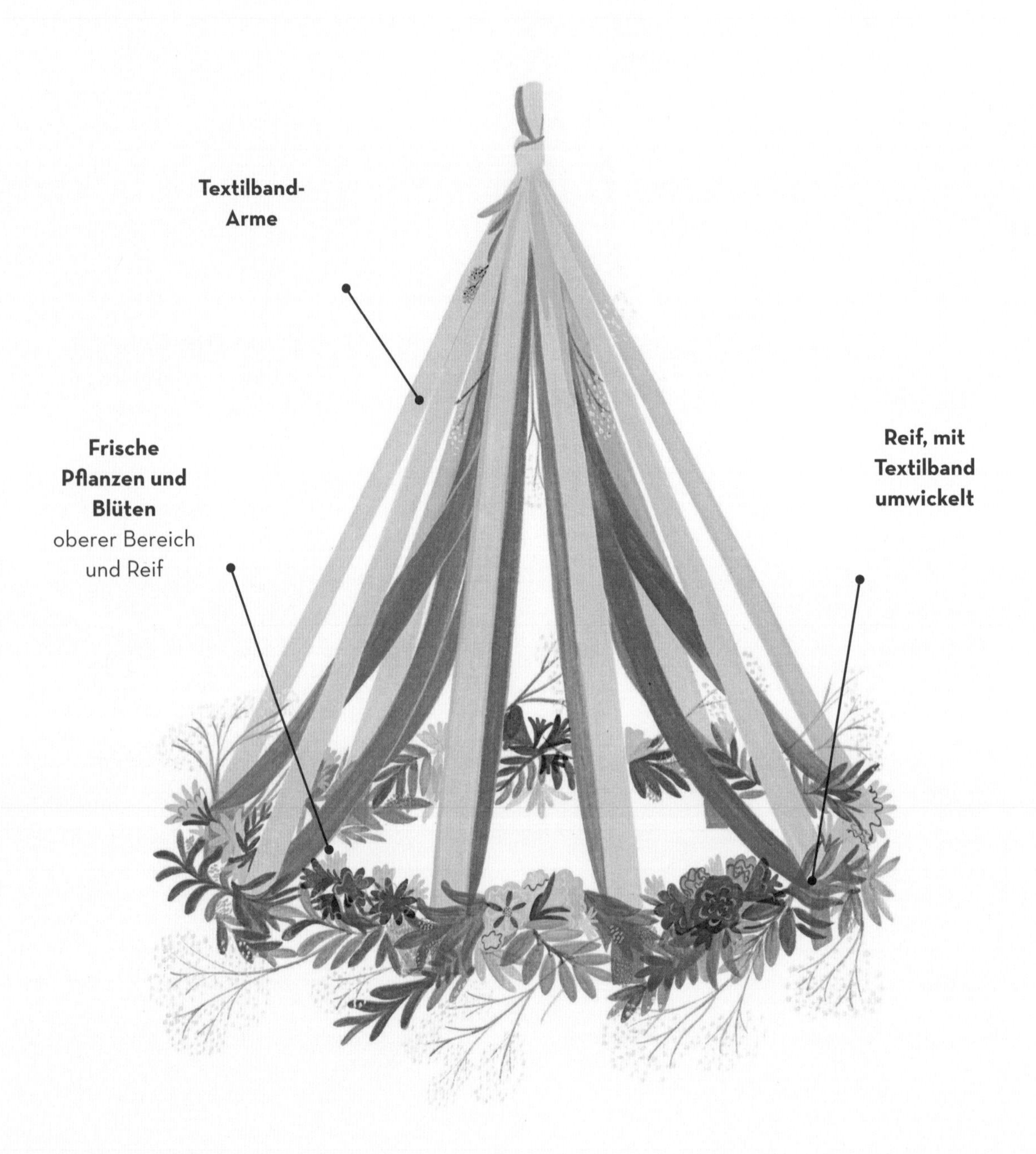

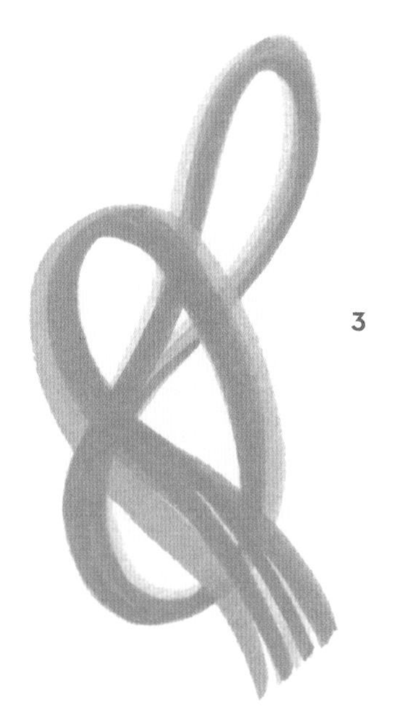

1 Den Reif mit einem Band anstelle von Krepp-Papier umwickeln (Seite 28).

Achtelpunkte markieren

2 Mit Bleistift die Achtelpunkte auf dem Reif markieren (zuerst die Viertelpunkte und dann die Mitte jedes Viertels, sodass alle Abstände gleich sind).

Innere Bänder-Arme

3 Vom hellgrünen Band 4 Stücke (je 1,5 m) abschneiden, vom dunkelgrünen Band 4 längere Stücke (2 m). Alle Bandstücke mittig falten, jeweils ein längeres Band in einem kürzeren positionieren, dann alle Bänder oben bei der Faltung zusammenfassen und kurz unterhalb der Faltung mit einem festen Knoten verbinden, um eine Schlaufe zu bilden. Bei meinem Entwurf liegen die dunkelgrünen Bänder innerhalb der Struktur, daher habe ich sie beim Bündeln der Bänder nach innen gelegt. Überprüfen, dass die 8 hellgrünen (und die 8 dunkelgrünen Bänder) jeweils gleichmäßig lang sind; falls erforderlich kürzen.

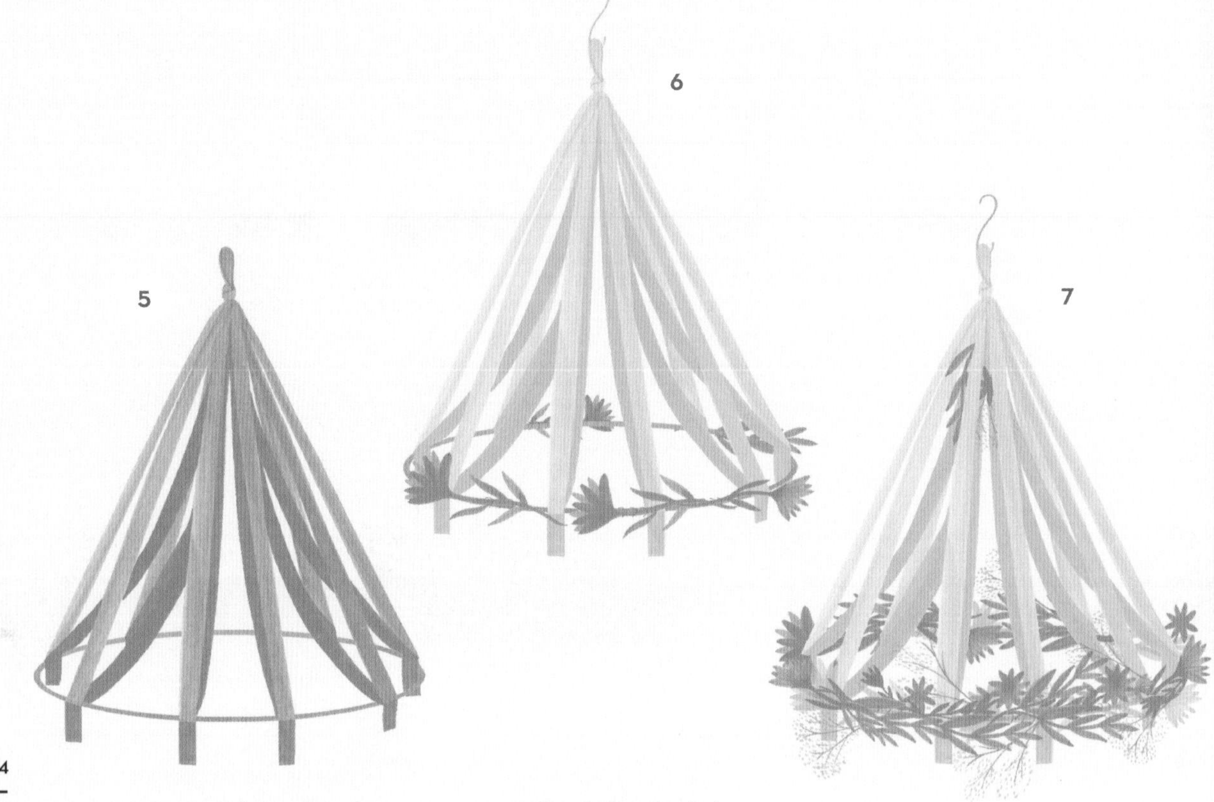

4 Die 8 äußeren Bänder am Reif befestigen (also die kürzeren, hellgrünen). 4 der Bänder an den Viertelmarkierungen am Reif befestigen, dann die restlichen 4. Dabei das Ende eines jeden Bandes um den Reif wickeln und festkleben. Fest andrücken, bis der Kleber hält.

5 Nun die inneren 8 Bänder anbringen (die längeren, dunkelgrünen). Sie sollten schön locker im Inneren der Struktur hängen. So an die Innenseite der helleren grünen Arme kleben, dass jeweils ein 15-cm-Stück des dunkelgrünen Bandes unterhalb des Reifs herabbaumelt, wie abgebildet. Hierfür jeweils Kleber am Reif auf das bereits umwickelte hellgrüne Band auftragen und das innere dunkelgrüne Band 15 cm vom Ende entfernt draufkleben. Fest andrücken, bis der Kleber hält.

Anbringen der Blumen

6 Abschließend den Reif nach Wunsch verzieren. Hierfür die Pflanzen und Blüten mit Blumendraht rundum am Reif befestigen.

7 Zuletzt einige Blumen und Pflanzen am oberen Knoten befestigen, sodass sie im Inneren der Struktur nach unten hängen.

+ Józef +

Hoch oben auf einem Hügel im südpolnischen Tatra-Gebirge steht ein traditionelles Holzhaus, in dem Józef Fudala seit seiner Geburt lebt.

Ich besuchte ihn im frühen Winter, und als ich sein Zuhause betrat, fielen mir als Erstes die überall baumelnden Christbaumgirlanden aus Papier auf. Józef war mit den Vorbereitungen für die Weihnachtsdekoration beschäftigt. Seine Mutter hat ihm das Papierhandwerk beigebracht. Er hat sein ganzes Leben lang sehr hart auf seinem Bauernhof gearbeitet, und seit er im Ruhestand ist, verbringt er seine Zeit mit der Herstellung von Papierblumen und anderen traditionellen Dekorationen.

Überall um mich herum sah ich Stapel von wunderschön bestickten Kissen, handbemalte Wandteppiche und Heiligenbilder, die mit Józefs Papierblumen verziert waren. Beim Anblick all dieser Schätze fühlte ich mich wie in einem ethnografischen Museum. Als ich die einzelnen Zimmer betrat, war es, als würde ich in die Welt von *Narnia* gelangen. Der letzte Raum war sein »weißes Zimmer«, *biała izba* genannt; früher der größte und wichtigste Raum in einem traditionellen, ländlichen Haus, die »gute Stube«, in der man Gäste empfing. In Józefs Haus war dieser Raum vollständig mit seinen Papierkreationen dekoriert. Für mich wirkte es so, als würde die Weihnachtszeit hier das ganze Jahr über andauern, denn drei künstliche Christbäume sind ein fester Bestandteil von Józefs Einrichtung. Sie sind mit wunderschönen Papierengeln geschmückt, die Józefs Großmutter angefertigt hat, sowie mit anderen traditionellen Weihnachtsdekorationen, wie langen Roggenstroh-Girlanden mit bunten Papier-Schmetterlingen und prächtigen Papier-Tannenzapfen.

Józefs Igel-Pompons sind einmalig. Traditionell wurden diese Bommel zur Verzierung einer *Pająk*-Struktur verwendet oder einzeln als Christbaumkugeln aufgehängt. Ich habe sie schon in allen möglichen Farben gesehen, aber in die von Józef habe ich mich gleich auf den ersten Blick verliebt. Er verwendet weißes Papier, um sie herzustellen, und fügt dann Alufolienspitzen an jedem einzelnen Zacken hinzu.

Überall in Józefs *biała izba* gibt es Igel-Pompons, die an den Weihnachtsbäumen befestigt sind oder von der Decke hängen. Sie sehen unglaublich aus – als wäre dieser magische Raum mit glitzernden Schneeflocken gefüllt.

SCHNEEFLOCKEN-PAJĄK

Dies ist meine Hommage an den bezaubernden Józef. Das Mobile ist zwar kleiner als einige der anderen Projekte, aber überaus entzückend, mit meinen geliebten weißen Igel-Pompons samt deren silbrig glänzenden Stacheln.

Höhe 42 cm • **Breite** 22 cm

Das wird benötigt

Roggen- oder Papierstroh
Lineal
Schere
Alufolie
Seidenpapier in Weiß
Zirkel
Bleistift
Spitzer
6-cm-Nähnadel
Kleber
Baumwollgarn
Metallreif, 20 cm Durchmesser
Krepp-Papier in Weiß-Metallic

Das ist vorzubereiten

Stroh-Zuschnitte
32 kurze (3 cm)
18 lange (5 cm)

Alufolien-Kugeln:
42 (aus 3 cm großen Alufolien-Quadraten zusammengeknüllt)

Sets in losen Lagen für Józefs Igel-Pompons (Seite 44):
1 mit 12 Lagen (7 cm)
4 mit 8 Lagen (7 cm)

Struktur des PAJĄK

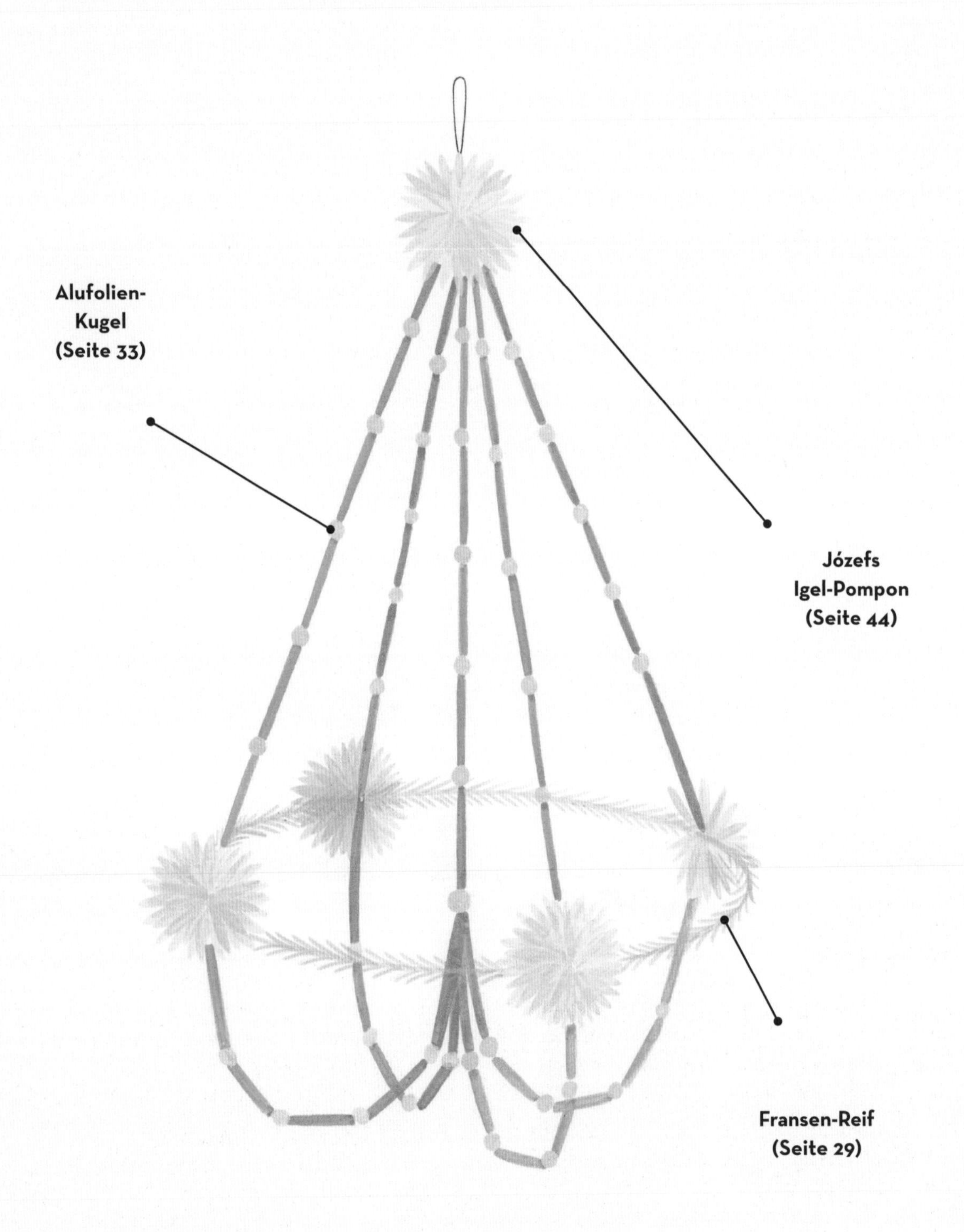

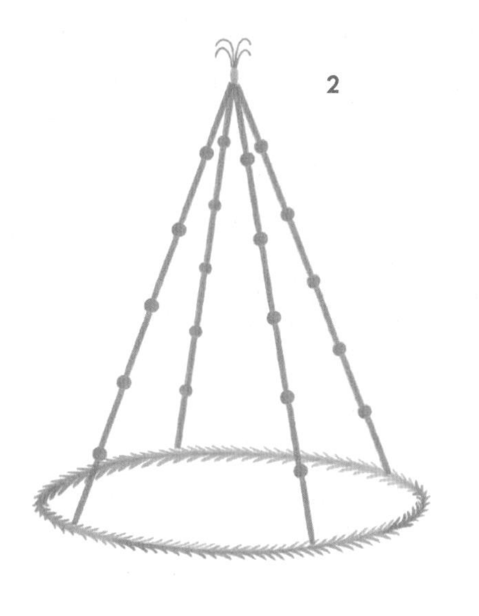

1 Den Reif fransenartig mit Krepp-Papier in Weiß-Metallic (Seite 29) umwickeln.

Obere Arme
2 Vom Baumwollgarn 4 Fäden (je 45 cm) abschneiden. Ein Ende jedes Fadens an den Viertelpunkten mit Doppelknoten am Reif anbringen. Einen ersten Faden in das Nadelöhr einfädeln und abwechselnd 1 langen Stroh-Zuschnitt auffädeln, dann 4 kurze Stroh-Zuschnitte und dann wieder 1 langen (dazwischen jeweils 1 Alufolien-Kugel). Für die übrigen oberen Arme wiederholen. Die losen Armenden mit einem festen Knoten oben zusammenbinden. Den *Pająk* aufhängen, um den unteren Teil zu arbeiten.

Untere Arme
3 Vom Baumwollgarn 4 weitere Fäden (je 45 cm) abschneiden und am Reif an den Stellen anknoten, an denen auch die oberen Arme befestigt sind. Auf jeden unteren Arm 1 langen Stroh-Zuschnitt, dann 3 kurze und zum Schluss 1 langen Stroh-Zuschnitt auffädeln (dazwischen jeweils 1 Alufolien-Kugel). Nach dem Auffädeln des ersten unteren Arms das lose Ende vorübergehend am Reif befestigen. Sobald der zweite Arm aufgefädelt ist, beide zusammenbinden. Sobald beide Sätze aus 2 Armen fertig sind, alle mit einem letzten Knoten verbinden.

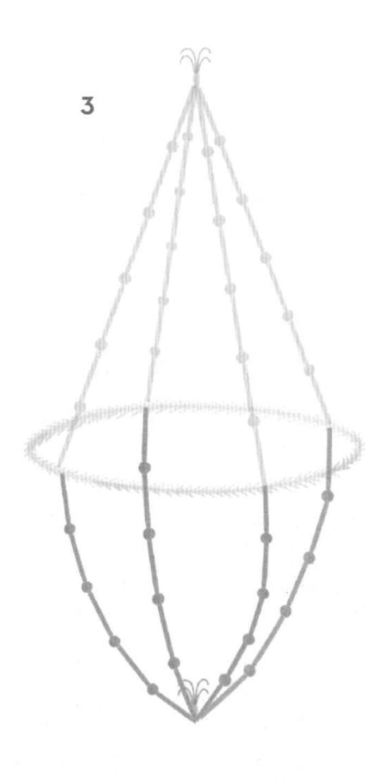

Mittlerer Arm

4 Vom Baumwollgarn 1 Faden (90 cm) abschneiden, in das Nadelöhr einfädeln und unten einen Knoten binden. Die Nadel von unten durch den Knoten führen, der die unteren Arme verbindet. 1 Alufolien-Kugel auffädeln, dann 1 langen Stroh-Zuschnitt, 4 kurze Stroh-Zuschnitte und zum Schluss 1 langen, dazwischen jeweils 1 Alufolien-Kugel (also 5 insgesamt). Die Nadel durch den oberen Knoten führen (durch den die oberen Arme verbunden sind).

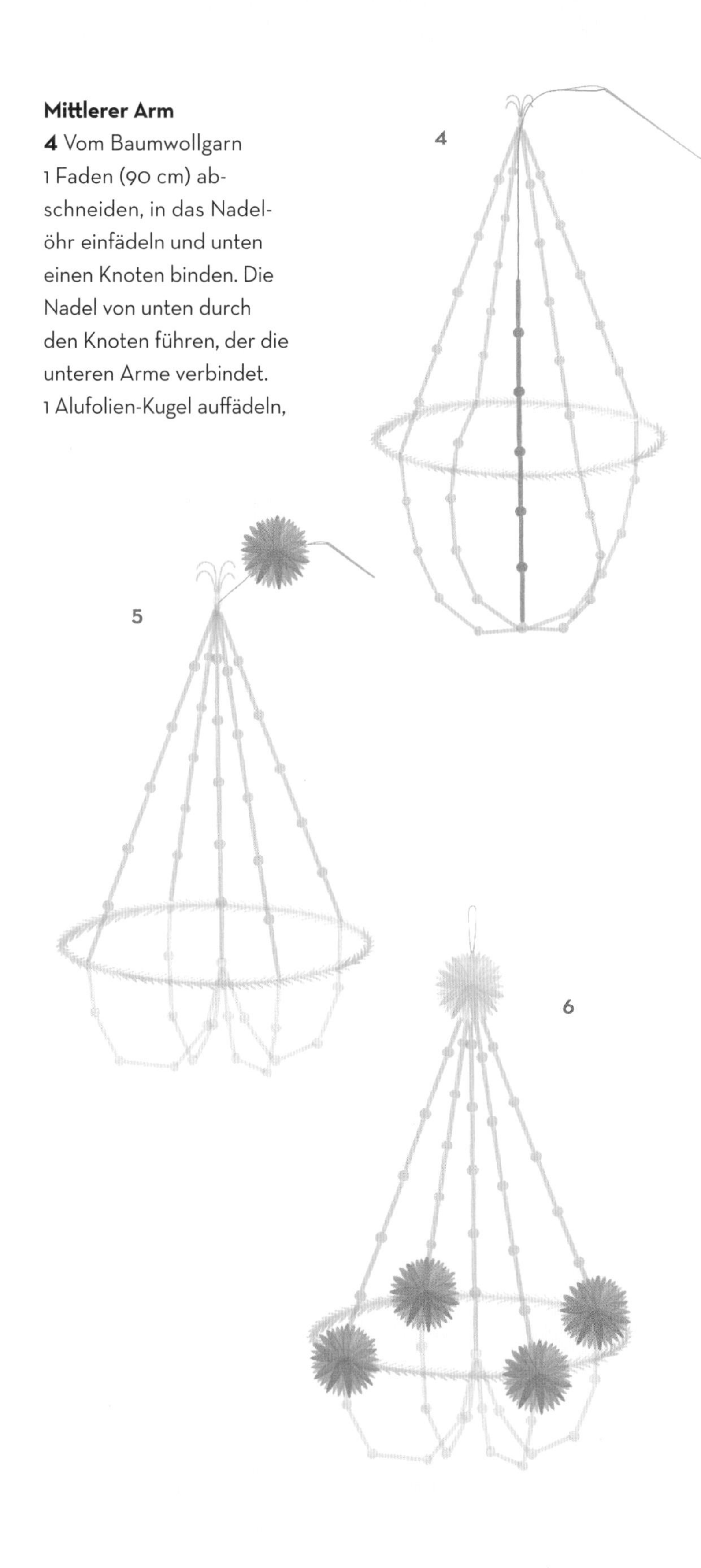

5 Die Nadel durch die 12 Lagen des oberen Pompons führen und die Lagen oben auf dem mittleren Arm positionieren. 1 kleines Quadrat Seidenpapier aus mehreren Lagen abschneiden, mittig mit der Nadel durchstechen und ins Innere des Pompons schieben. Vom Baumwollgarn 1 Faden (15 cm) abschneiden. Mittig doppelt nehmen und kurz unterhalb der Faltung einen Doppelknoten binden, um eine Schlaufe zu bilden. Die Schlaufe mit dem Faden im Inneren des Pompons verbinden und mit einem Doppelknoten sichern. Überschüssige Fadenenden abschneiden.

6 Die restlichen 4 Pompons (aus je 8 Lagen) an den Viertelpunkten am Reif befestigen (1 Faden verläuft oberhalb des Reifs, der andere unterhalb und wird dann mit einem Doppelknoten fest verknotet).

MAKRAMEE-PFLANZEN-AMPEL

Dies ist eine schöne moderne Version eines *Pająk* für Pompon-, Makramee- und Pflanzen-Liebhaber! Ich habe mich, was die Pflanzen angeht, für Teufels-Efeu entschieden, aber auch Sukkulenten sehen toll aus!

Höhe 75 cm • **Breite** 35 cm

Das wird benötigt

Roggen- oder Papierstroh
Lineal
Schere
farbiges Tonpapier in Blaugrün, Braun und Helltürkis
3-cm-Kreisstanzer (optional)
Zirkel
Bleistift
Spitzer
Seidenpapier in Blaugrün und Hellbraun
6-cm-Nähnadel
Kleber
Baumwollgarn
Alufolie
Messing-Reif, 30 cm Durchmesser
Schnur aus Jutegarn
4 Keramik-Pflanztöpfe, je 8 cm Durchmesser
4 Lieblingspflanzen, die in die Töpfe passen

Das ist vorzubereiten

Stroh-Zuschnitte:
58 kurze (3 cm)
26 lange (8 cm)

Tonpapier-Kreise:
71 (3 cm)

Sets in je 12 losen Lagen für Igel-Pompons (Seite 40):
1 in Blaugrün (10 cm)
1 in Blaugrün und Hellbraun gemischt (10 cm)

Fertige Igel-Pompons (Seite 40):
4 in Hellbraun (10 cm)

Struktur des PAJĄK

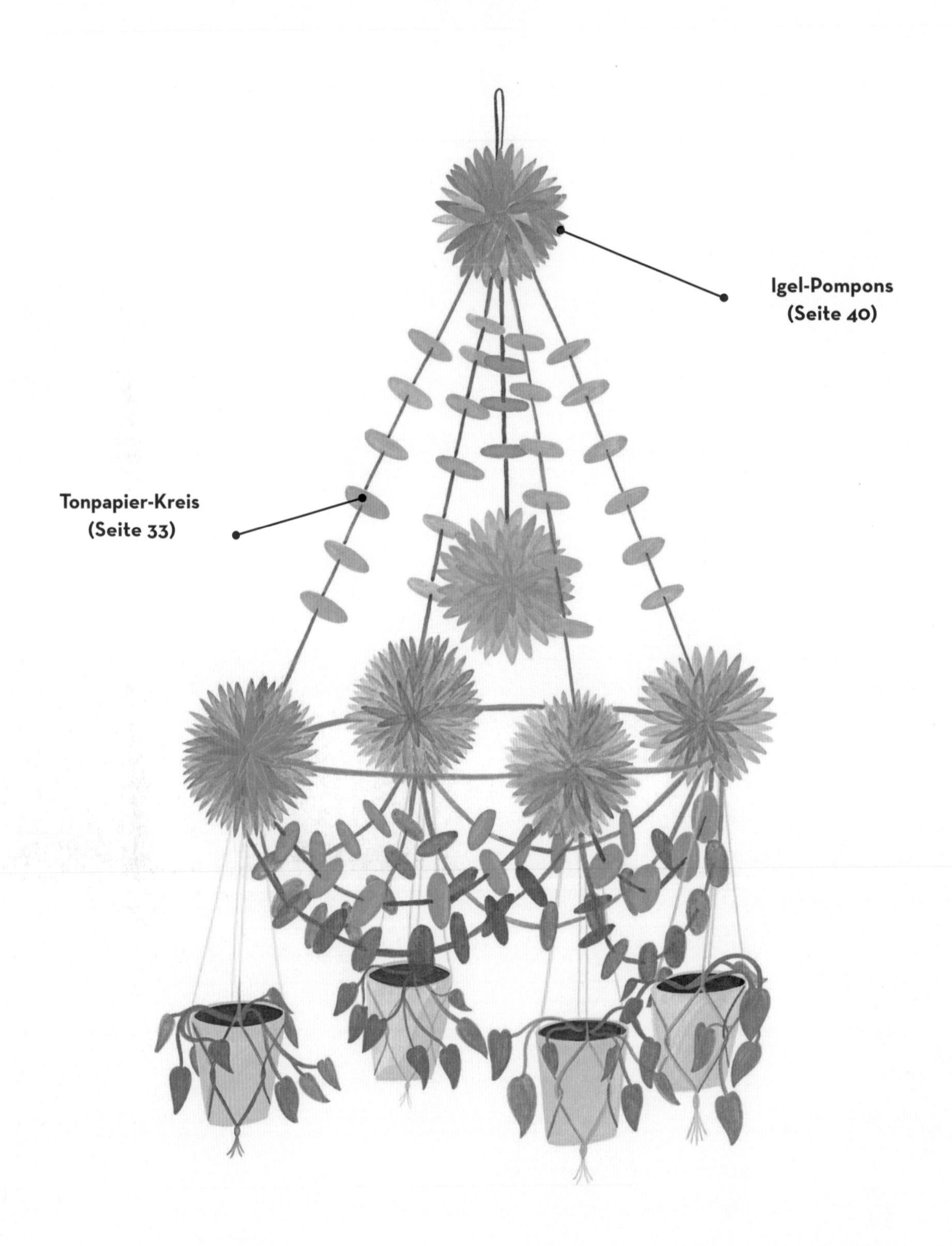

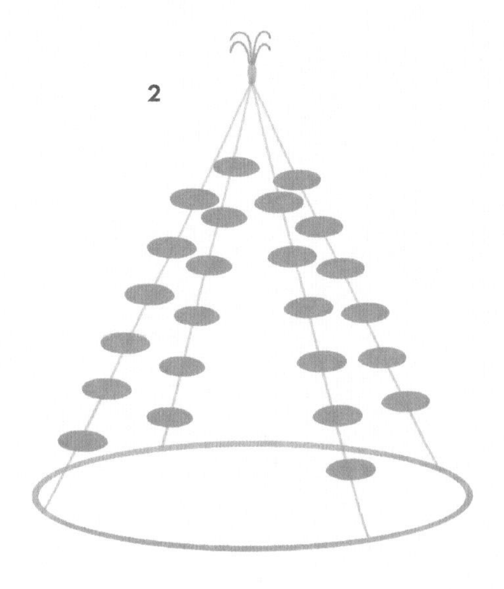

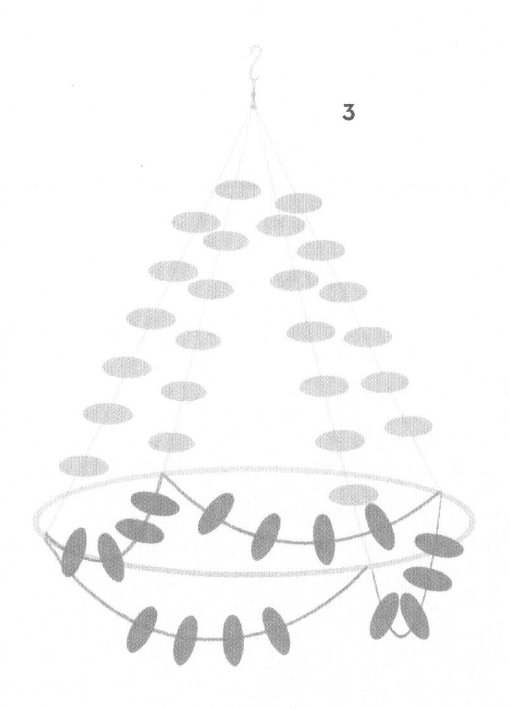

Obere Arme

1 Vom Baumwollgarn 4 Fäden (je 50 cm) abschneiden und an den Viertelpunkten am Reif befestigen. Sie hierfür um den Reif wickeln und mit Doppelknoten sichern. Der Reif ist nicht mit Papier umwickelt, daher muss man Kleber verwenden, um die Position der Fäden zu fixieren.

2 Das lose Ende eines der Fäden in das Nadelöhr einfädeln und dann 1 langen Stroh-Zuschnitt auffädeln, gefolgt von 5 kurzen Stroh-Zuschnitten, dann 1 weiteren langen Stroh-Zuschnitt (dazwischen 6 Tonpapier-Kreise). Die restlichen Arme auf die gleiche Weise schmücken. Sobald alle Arme fertig sind, sie oben zusammenfassen und mit einem Knoten verbinden. Prüfen, ob der Reif gerade hängt, wenn ja, einen weiteren festen Knoten binden, ansonsten die Armlängen korrigieren. Den *Pająk* aufhängen, um die unteren Teilen zu arbeiten.

Untere Arme

3 Vom Baumwollgarn 4 Fäden (je 50 cm) abschneiden (für einen ersten Satz von 4 baumelnden Armen). Das Ende eines ersten Fadens am Reif befestigen, und zwar an der Stelle, an der einer der oberen Arme angebracht ist. 1 langen Stroh-Zuschnitt, 3 kurze Stroh-Zuschnitte und dann 1 weiteren langen Stroh-Zuschnitt, auffädeln (dazwischen 4 Tonpapier-Kreise). Das lose Ende des Fadens unter dem nächsten oberen Arm um den Reif wickeln und mit einem Doppelknoten sichern. Die restlichen 3 Arme ebenso anbringen.

Tipp: Wer nicht jeden Arm einzeln befestigen möchte, kann ein längeres Stück Faden abschneiden und dann alle Arme in einem Durchgang auffädeln, indem man den Faden bei Bedarf verlängert, indem man ein zusätzliches Stück Faden anknotet.

4 Vom Baumwollgarn 4 Fäden (70 cm) für einen weiteren Satz unterer baumelnder Arme abschneiden und auf die gleiche Weise am Reif befestigen. Zuerst 1 langen Stroh-Zuschnitt auffädeln, dann 6 kurze Stroh-Zuschnitte und 1 langen Stroh-Zuschnitt als Abschluss (dazwischen 7 Tonpapier-Kreise).

Makramee-Aufhängung

5 Vom Jutegarn pro Blumentopf 4 Schnüre (je 90 cm) abschneiden. Bündeln und mittig doppelt genommen so an einem Viertelpunkt am Reif festbinden (dort, wo obere und untere Arme zusammentreffen), dass 8 gleich lange Schnurenden nach unten hängen. Alle 4 Schnur-Sets auf die gleiche Weise anbringen.

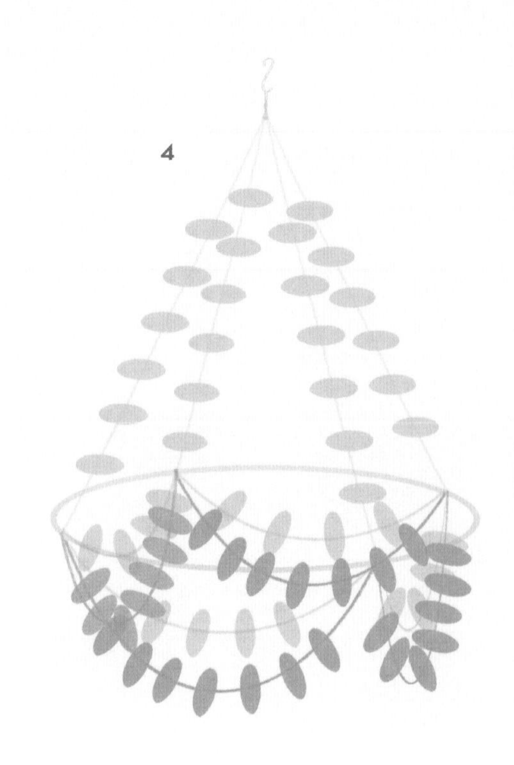

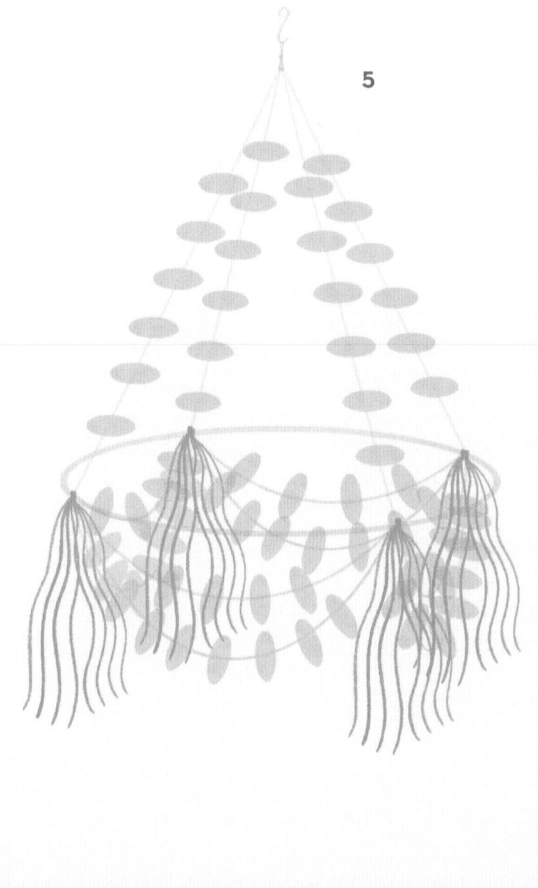

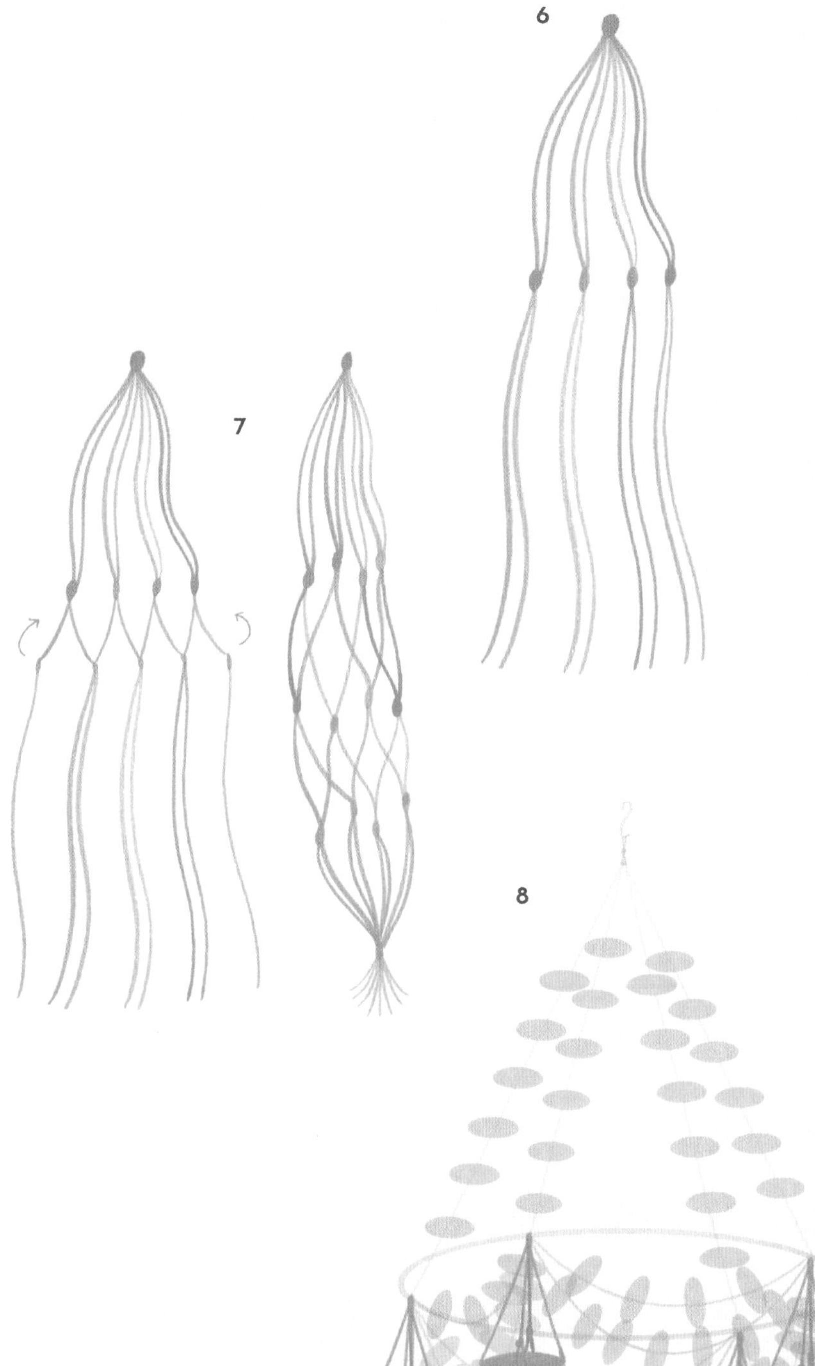

6 Die 8 Schnüre eines ersten Sets jeweils paarweise mit Doppelknoten zusammenfassen (etwa 15 cm) vom oberen Ende entfernt.

7 Nun 2 weitere Schnüre etwa 4 Zentimeter nach unten versetzt zusammenknoten, jeweils die von einem anderen Paar, wie gezeigt. Dabei auch die am weitesten links und rechts positionierten Schnüre miteinander verknoten. Den Vorgang wiederholen und zwischen den einzelnen Knotenabschnitten jeweils etwa 4 cm Abstand lassen. Dann unten alle Schnüre mit einem Doppelknoten verbinden und überschüssige Schnurenden abschneiden.

8 Den Vorgang für die restlichen 3 Sets wiederholen, dann 1 Blumentopf in jeder Halterung positionieren.

Pompons

9 Die Lagen für die beiden mittleren Pompons bereitlegen (blaugrün und gemischtfarbig).

Vom Baumwollgarn 1 Faden (80 cm) abschneiden, in das Nadelöhr einfädeln, mittig doppelt nehmen und unten mit einem Doppelknoten verbinden. 1 kleines Quadrat aus Alufolie ausschneiden, um den Knoten wickeln und zu einer Kugel zusammenknüllen. Die 12 blaugrünen Lagen mit der Nadel durchstechen, dabei die Ausrichtung der Stacheln ändern. Die Lagen bis zum Knoten herunterschieben. 1 kleines Quadrat (7 mm) Alufolie abschneiden, um den Faden wickeln und dicht über den Pompon schieben, sodass er seine runde Form behält.

10 Nun 1 langen Stroh-Zuschnitt auffädeln, dann 2 kurze Stroh-Zuschnitte und zum Schluss 1 langen Stroh-Zuschnitt (dazwischen 3 Tonpapier-Kreise). Die Nadel 2-mal durch den oberen Knoten führen, um den Faden zu sichern. Dann die farbig gemischten 12 Lagen mit der Nadel durchstechen, um den oberen Igel-Pompon fertigzustellen (ich habe 6 Lagen in Blaugrün und 6 Lagen in Hellbraun verwendet). 1 kleines quadratisches Stück Seidenpapier aus mehreren Lagen ausschneiden, mit der Nadel durchstechen und dicht über den Pompon schieben. Die Nadel abschneiden und die Fadenenden mit einem festen Doppelknoten sichern.

11 Vom Jutegarn 1 Schnur (25 cm) abschneiden, mittig doppelt nehmen und die Enden unten mit einem Doppelknoten verbinden, um eine Schlaufe zu bilden, dann diese mit den Fäden im Inneren des oberen Pompons mit einem festen Doppelknoten befestigen. Überschüssige Enden abschneiden.

12 Die hellbraunen Pompons am Reif befestigen. Hierfür jeweils einen ihrer Fäden über den Reif, den anderen unter den Reif führen und mit einem festen Doppelknoten verbinden. Überschüssige Fadenenden abschneiden.

Pflanzen

13 Beim Positionieren der Pflanzen darauf achten, dass der Reif gut ausbalanciert bleibt.

STERN-SKULPTUR AUS MESSING

Dies ist eine moderne Version eines traditionellen *Pająk*-Designs. Statt Roggenstroh habe ich Messing-Röhrchen verwendet. Ohne den Zusatz der üblichen Papierblumen oder Pompons sieht es aus wie eine minimalistische moderne Skulptur.

Höhe 49 cm • **Breite** 48 cm

Das wird benötigt

etwa 11 m Messing-Rohr, 5 mm Durchmesser
Metallsäge oder Rohrschneider (optional)
Blumendraht
Kneifzange

Das ist vorzubereiten

Wer keine vorgeschnittenen Messing-Röhrchen in der gewünschten Länge findet, kann sie mit einer Metallsäge oder einem Rohrschneider zuschneiden.

Rohr-Zuschnitte:
36 kurze (6 cm)
72 lange (12 cm)

Struktur des PAJĄK

Hinweis: Der *Pająk* besteht aus 12 Pyramiden mit Sternstruktur im Inneren und 12 zusätzlichen Pyramiden an der Außenseite. Die gesamte Struktur wird auf Draht aufgefädelt. Daher vom Blumendraht vorab einige Stücke abschneiden (je 50 cm). Falls der Draht zwischendurch ausgeht, einfach ein weiteres Stück durch festes Umwickeln mit dem ursprünglichen Draht verbinden.

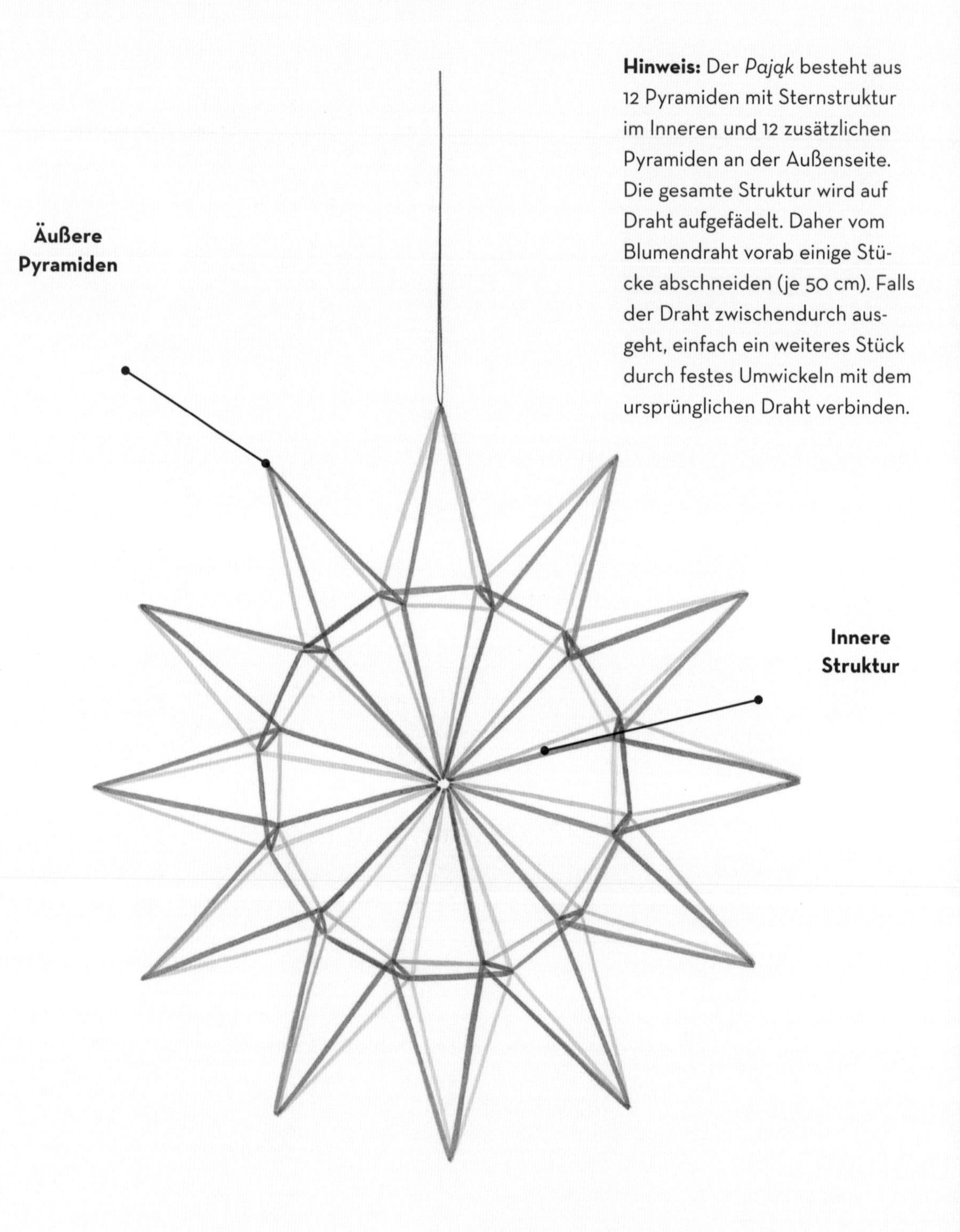

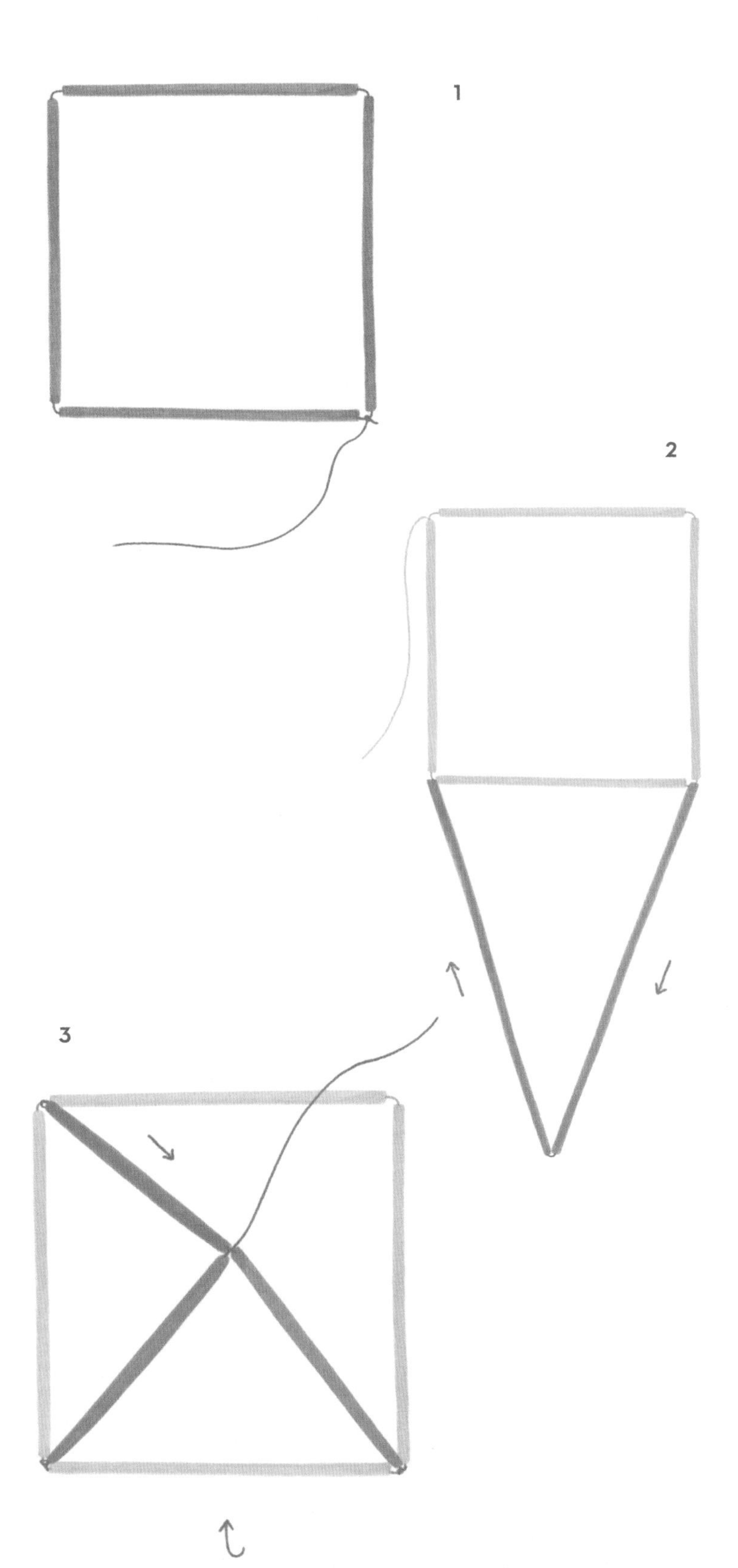

Innere Struktur

1 Auf ein erstes Stück Draht 4 kurze Rohr-Zuschnitte so auffädeln, dass ein Quadrat entsteht (hierfür den Draht an den Eckpunkten knicken). Das kurze Drahtende an der Ecke um das lange Drahtende wickeln, damit die quadratische Basis gesichert ist.

2 Nun wird eine erste Pyramide erstellt. Das lange Drahtende an der Ecke nehmen und 2 lange Rohr-Zuschnitte auffädeln. Den Draht knicken, um ein Dreieck zu bilden, und den Draht durch Umwickeln am Quadrat befestigen. Dann den Draht durch das Rohr zur anderen Ecke des Quadrats führen, wie gezeigt.

3 Nun 1 weiteren langen Rohr-Zuschnitt auf den Draht schieben. Den Draht um die Spitze des ersten Dreiecks wickeln, um die Pyramide zu bilden.

4 Auf die gleiche Weise 1 weiteren langen Rohr-Zuschnitt hinzufügen, um die Struktur fertigzustellen. Den Draht zum Sichern um die untere Ecke wickeln.

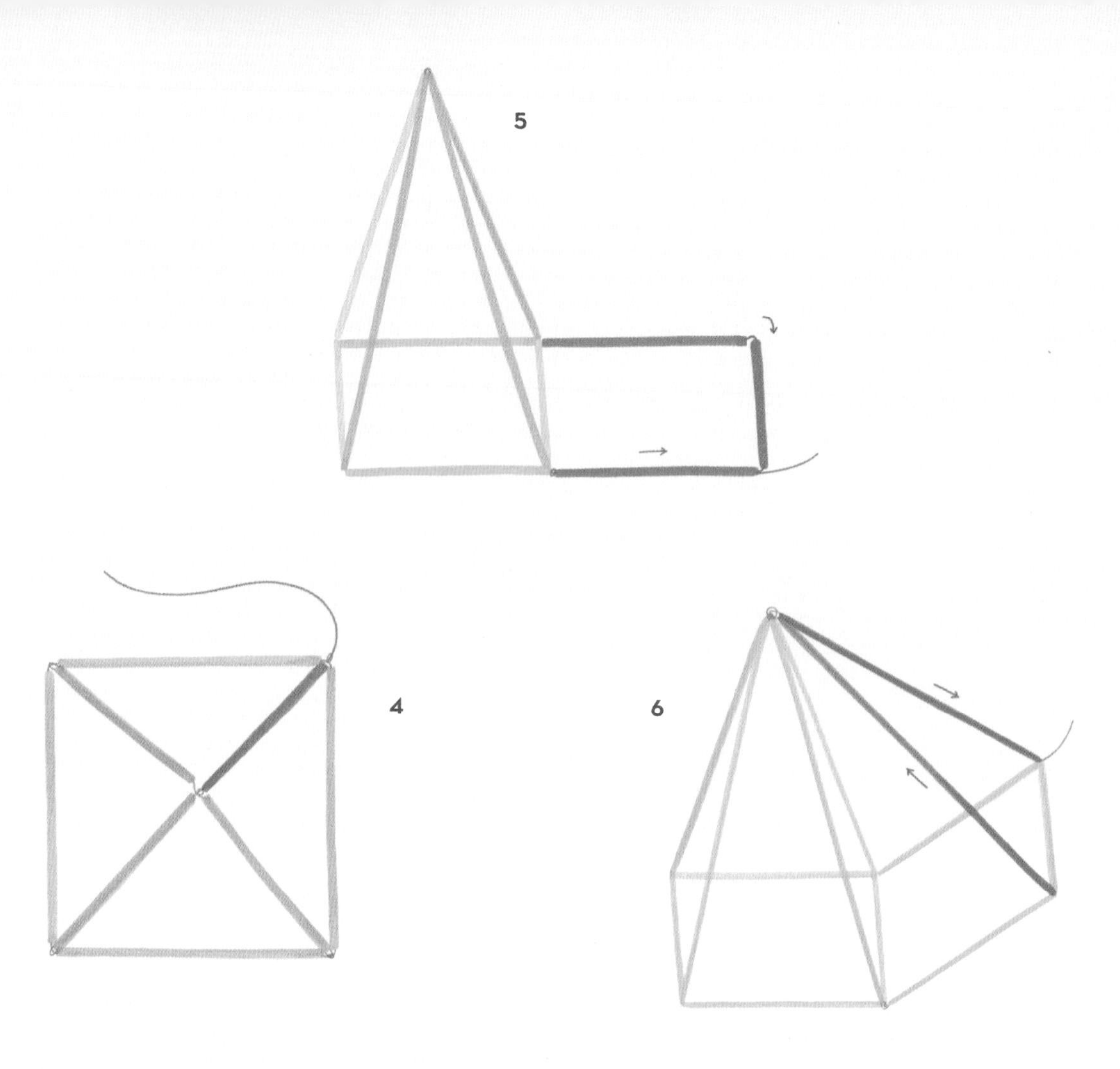

5 Nun müssen 11 weitere Pyramidenmodule hinzugefügt werden, um die Sternstruktur zu bilden. Hierfür zunächst 3 kurze Rohr-Zuschnitte an der unteren Basis auffädeln, um ein zweites Quadrat zu bilden. Den Draht um das untere Ende der ersten Pyramide herumwickeln und, wie gezeigt, durch das Rohr zurückführen.

6 Um die Pyramide zu bauen, 2 weitere lange Rohr-Zuschnitte hinzufügen und sie an der Spitze der ersten Pyramide befestigen. Den ersten Rohr-Zuschnitt hinzufügen, zur Seite ziehen und den Draht um die Spitze der ersten Pyramide wickeln. 1 zweiten Rohr-Zuschnitt hinzufügen und den Draht am unteren Ende umwickeln, wie gezeigt.

7 So fortfahren, bis 10 weitere Pyramiden entstanden sind und die mittlere Struktur geschlossen ist (die letzten beiden Teile, die hinzugefügt werden, sind 2 kurze Rohr-Zuschnitte an der Basis, um erste und letzte Pyramide miteinander zu verbinden). Es sieht beim Arbeiten vielleicht etwas chaotisch aus, aber wenn man darauf achtet, den Draht in der Mitte der Struktur schön festzuziehen, wird es am Ende gut aussehen.

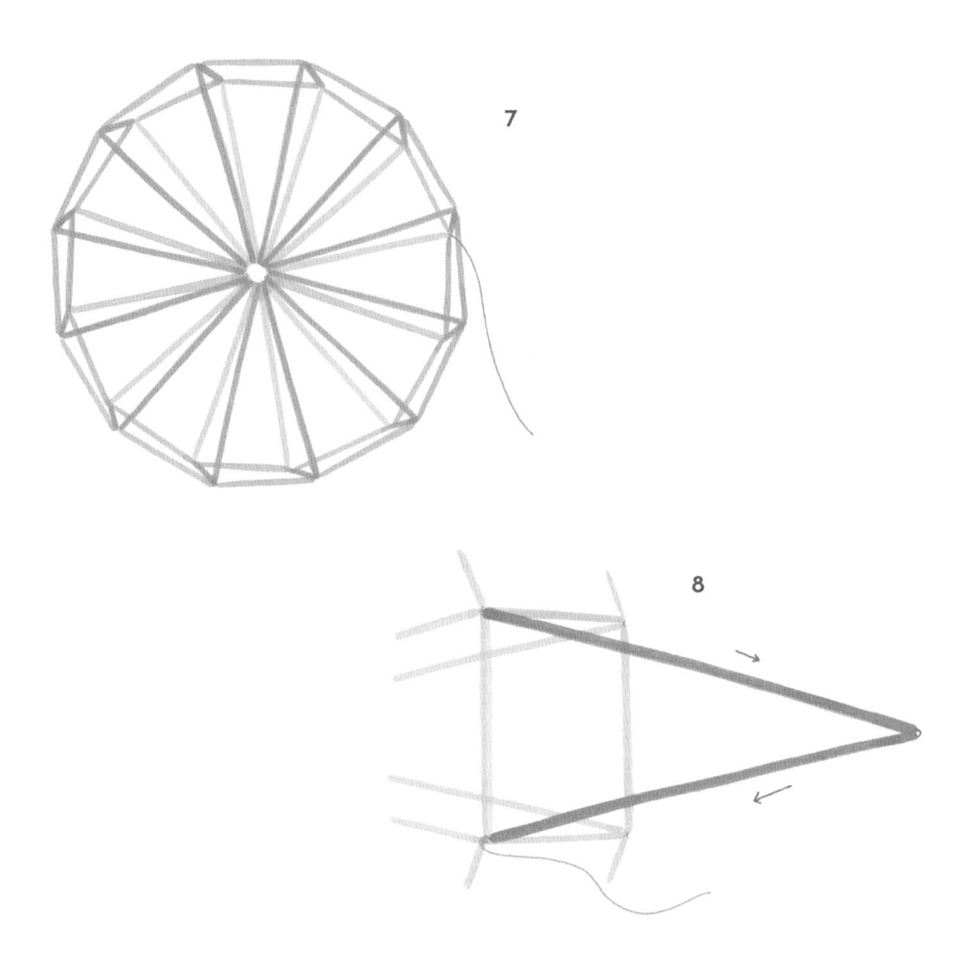

Tipp: Wenn man den Draht auf die andere Seite einer Form führen muss, wird er durch das Rohr geführt. Es sollten keine Drähte sichtbar sein, da die Struktur dann ordentlicher aussieht.

Äußere Pyramiden

8 Sobald die mittlere Struktur fertig ist, müssen die 12 äußeren »stacheligen« Pyramiden angebracht werden. Aus der quadratischen Basis sollte ein Stück Draht herausragen, an der Stelle, an der die mittlere Struktur fertiggestellt wurde. Hier werden nun 2 weitere lange Rohr-Zuschnitte aufgefädelt (Draht anstückeln, falls nötig).

9 Den Draht durch den unteren kurzen Rohr-Zuschnitt führen.

10 Dann 1 langen Rohr-Zuschnitt hinzufügen und mit dem Draht an der dreieckigen Spitze befestigen, um eine Pyramide zu bilden. 1 weiteren langen Rohr-Zuschnitt hinzufügen, um die Pyramide fertigzustellen.

11 Die restlichen Pyramiden auf die gleiche Weise anfertigen. Danach ist der Stern fertig zum Aufhängen!

Tipp: Man kann die Länge der Rohr-Zuschnitte variieren, um das Aussehen des Sterns zu verändern. Wer spitzere, »stacheligere« Pyramiden möchte, kann längere Zuschnitte verwenden.

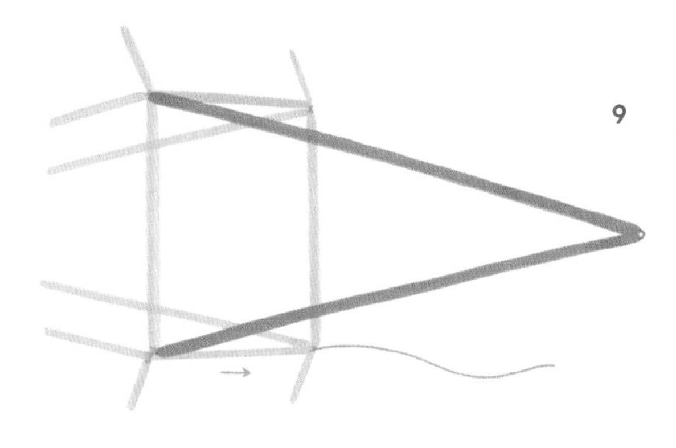

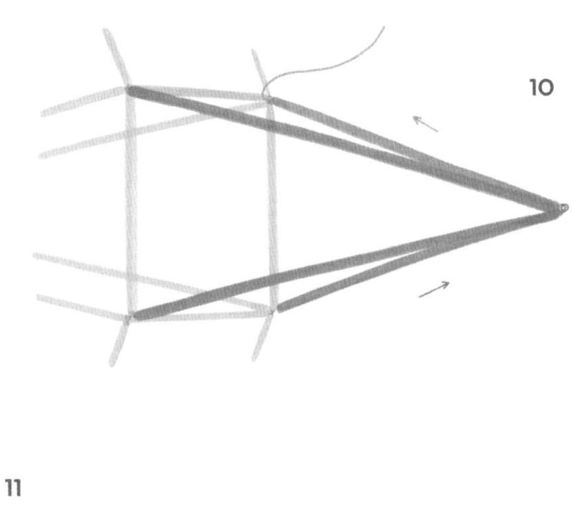

Vorlagen

Man kann Pauspapier verwenden und die Vorlagen direkt übertragen – oder sie fotokopiert oder eingescannt in 100 % ausdrucken. Alternativ können die Vorlagen auch heruntergeladen werden: www.pavilionbooks.com/book/making-mobiles

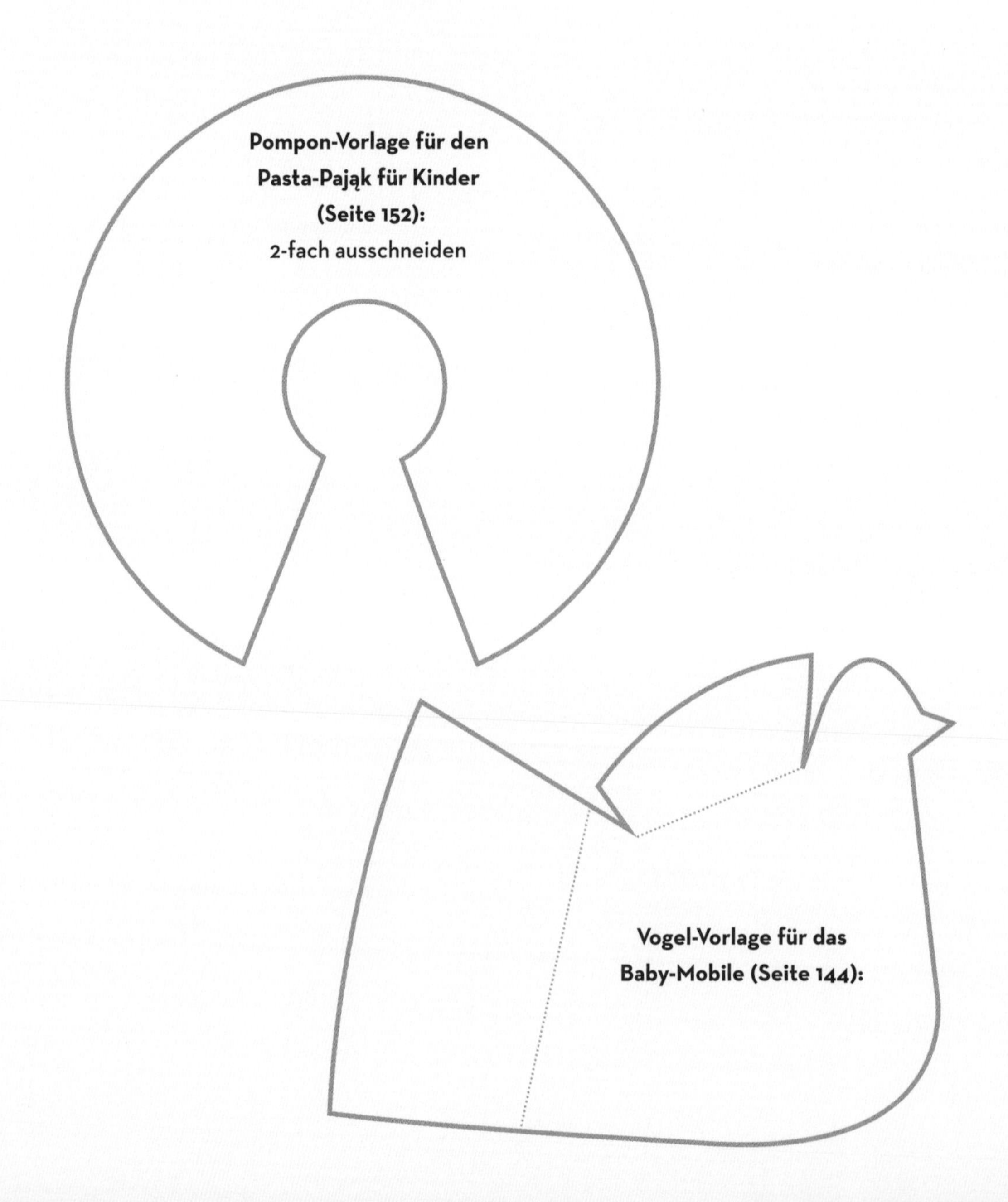

Lieferanten

Karolina Merska
www.karolinamerska.com
Dies ist meine eigene Website! Man kann *Pająk*-Bastelsets direkt bei mir kaufen, mit all dem Papier und Stroh, das benötigt wird.

Atlantis Art Materials
www.atlantisart.co.uk
Mein lokaler Künstlerbedarfsladen in London.

Cass Art
www.cassart.co.uk
Online-Künstlerbedarf, perfekt für Papiere und Werkzeuge.

G. F. Smith
www.gfsmith.com
Ein in London ansässiges Unternehmen, das Kartons und Papiere in fantastischen Farben anbietet.

Carte Fini
www.cartefini.com
Italienisches Krepp-Papier in wunderschönen Farben.

Fred Aldous
www.fredaldous.co.uk
Ein Online-Shop, der alles bietet, was man zum Basteln braucht. Hier gibt es Metallreifen, Papierstanzer und alles andere, was man für die *Pająki*-Herstellung benötigt.

Great Art
www.greatart.co.uk
Ein Online-Künstlerbedarfsladen für Papiere und Werkzeuge.

Literatur

Es war nicht einfach, die Geschichte der *Pająki* zu recherchieren, da es nicht viel Literatur zu dem Thema gibt. Ich habe das Glück, das Buch *Podłaźniki* von Tadeusz Seweryn aus dem Jahr 1932 mein Eigen zu nennen, das eine großartige Informationsquelle mit einzigartigen Illustrationen und Fotos darstellt. Außerdem möchte ich zwei sehr wichtige Veröffentlichungen erwähnen, eine von Tomasz Czerwiński, *Wyposażenie domu wiejskiego w Polsce* (Innenräume von Landhäusern in Polen), und eine von Aleksander Jackowski, *Polska sztuka ludowa* (Polnische Volkskunst). Während der Arbeit an diesem Buch hatte ich das Vergnügen, Professor Marian Pokropek zu treffen, dessen Bücher über polnische Volkskunst ich nutze und empfehle: *Ludowe tradycje Suwalszczyzny* (Volkstraditionen in Suwalszczyzna) und vor allem seine große Publikation *Folk Art in Poland* (auf Englisch erhältlich), die er zusammen mit Ewa Fryś und Anna Iracka verfasst hat.

Dank

An Gemma Doyle, Bella Cockrell und Katie Cowan von Pavilion Books, ohne deren Unterstützung und Vertrauen dieses Buch nicht möglich gewesen wäre. Außerdem an Claire Clewley und Amy Christian für ihre enorme Hilfe beim Layout und bei der Textbearbeitung.

An Ola O. Smit, Fotografin und liebe Freundin, für die wundervollen Aufnahmen.

An Georgie Ellen McAusland für die wunderbaren Illustrationen.

An die Künstlerinnen und Künstler: Zofia Samul, Helena Półtorak und Józef Fudala für die Weitergabe ihres Wissens.

An Professor Marian Pokropek für ein Forschungstreffen und ein Gespräch über das *Pająki*-Handwerk und mehr.

An Renata und Wojciech Brzozowscy vom Muzeum Ludowe Rodziny Brzozowskich im polnischen Sromów für eine inspirierende Führung.

An Vero, Kasia, Esther und Elisa für ihre Hilfe im Atelier.

An Piers Martin für seine Ratschläge zu meinen Texten.

An meine Eltern – Małgorzata, für ihre Hilfe beim Strohschneiden, und Mirosław, der mich zu den Künstlern gefahren hat. An meine Schwestern Alicja und Magdalena für ihre Liebe und Unterstützung.

An alle *Pająki*-Fans, für ihre Begeisterung, für die Teilnahme an meinen Workshops und für ihre Briefe aus der ganzen Welt. Ohne euch wäre dieses Buch nicht zustande gekommen!